LLYFRAU ERAILL YN NGHYFRES Y CEWRI

Hogyn o Sling

John Ogwen

Gwasg
Gwynedd

Argraffiad Cyntaf — Tachwedd 1996

ISBN 0 86074 134 6

Llun y clawr trwy garedigrwydd S4C.

*Cyhoeddwyd ac Argraffwyd
gan Wasg Gwynedd, Caernarfon.*

I MAUREEN,
ROBIN, RHYS A GUTO

Cynnwys

Hogyn o Ble?

Dau bwys a hanner aballu oeddwn i pan ges i 'ngeni, a dwi'n un o efeilliaid.

Fel y buasai Michael Caine yn dweud, 'Sna'm llawar o bobol yn gwbod hyn'na'. Wel, mae 'na fwy na dwi'n feddwl mae'n siŵr. Does 'na fawr o gyfrinachau ar ôl yn yr hen fyd 'ma.

Sut y dois i i'r hen fyd hwnnw? Sut y daeth fy chwaer, Mary, a minnau i'r hen fyd hwnnw? Yn efeilliaid i Mona Griffiths, merch dlws ryfeddol o Fangor. Fe'n ganwyd ni fis a mwy yn rhy fuan — dyna pam debyg nad oeddwn i fawr mwy na bagiad o Tate & Lyle — a bu Mam yn wael iawn. Fedrai hi ddim dod i ben â magu'r ddau ohonon ni.

Gofynnodd i'w chwaer, Annie, a oedd yn byw yn Sling, pentref bach heb fod ymhell o Fangor, tybed a fyddai hi a Harri'i gŵr, yn fodlon cymryd y cyfrifoldeb o fagu'r hogyn. Un plentyn oedd gan Annie a Harri, mab o'r enw Tom, a hwnnw bellach wedi gadael y nyth. Er eu bod ymhell yn eu pedwardegau fe gytunodd y ddau ac felly, yn chwe wythnos oed fe gyrhaeddais, bag a bagej, yn Sling. Hogyn o Sling ydw i felly, a hogyn o Sling fydda i byth. Yn bwysicach, hogyn Annie a Harri ydw i, a hogyn Annie a Harri fydda i byth. Nhw ydi Mam a 'Nhad y bydd cymaint o sôn amdanynt ar y tudalennau sydd i ddod. Efallai nad y nhw a ddaeth â fi i'r byd 'ma ond y nhw a roddodd y byd imi. Go brin y byddai 'na actor Cymreig

9

o'r enw John Ogwen petawn i heb gyrraedd Sling rywbryd ym Mehefin 1944. Yn fan'no y cafodd o'r sylfaen.

Ond fe fûm i flynyddoedd heb wybod sut y dois i yno. Yn swyddogol ches i ddim gwybod nes oeddwn i'n un ar bymtheg ond yr oedd cyfnither wedi edliw'r cwbl i mi pan oeddwn i'n naw oed. Dwi ddim yn cofio beth wnes i i'w ddigio hi ond dywedodd yn llond ceg nad Annie oedd fy mam 'iawn' i. Yr un oeddwn i'n alw'n 'Anti Mona' oedd hi! A pheth arall hefyd, i mi gael dallt, yr oeddwn i'n *twin*!

Fe fedra i weld yr olwg ar ei hwyneb hi rŵan ac mae'n siŵr bod fy wyneb innau'n bictiwr hefyd. Fe ges goblyn o sioc ond wnaeth y dweud plaen, brwnt ddim brifo. Wir yr, wnaeth o ddim. Roeddwn i'n blentyn bach hapus ryfeddol, yn byw hefo rhieni oedd yn dotio arna i — yn enwedig Mam — a doedd bwrw amheuaeth ar ddilysrwydd y sefyllfa ddim yn brifo. Dychryn efallai, ond nid brifo.

Wnes i ddim dweud wrth neb ond fe ddisgynnodd amryw o ddarnau i'w lle. Roeddwn i wedi'i weld o'n beth rhyfedd bod gen i 'gyfnither', Mary, oedd yr un oed yn union â fi. Union i'r diwrnod, y pumed ar hugain o Ebrill! Coblyn o ffliwc fyddai hynny go iawn. Ac roedd gen i fwy o feddwl o'r Anti Mona dlws 'ma o gryn dipyn na'r un fodryb arall a ddôi i'n tŷ ni. Roedd hithau'n gariadus o glên hefo minnau. Fe allai'r peth fod yn wir!

Yn y saith mlynedd rhwng geiriau 'nghyfnither a'r 'gwybod swyddogol' bu sawl achlysur bychan i gadarnhau'r wybodaeth. Dim byd mawr, dim ond darn bach arall o las mewn jig-so o awyr las. Fe ddywedodd mam y gyfnither wrtha i yn blwmp ac yn blaen pan oeddwn i tua deuddeg. Nid yn gas, dim ond dweud fel petai'n dweud ei bod hi'n bwrw.

Phoenodd o ddim arna i 'rioed. Pam y dylai? O chwilio'r byd yn grwn fedrwn i ddim bod wedi cael rhieni a chartref gwell. Roeddwn i'n gweld hynny hyd yn oed pan oeddwn i'n ddim o beth a, Duw a ŵyr, dwi'n gweld hynny rŵan.

Ond y 'dweud swyddogol'. Diwrnod fy mhen-blwydd yn un ar bymtheg oedd hi a minnau'n rhuthro adref o'r ysgol gan fy mod i'n chwarae ffwtbol ym Mangor y noson honno. Wrth ddod i mewn drwy'r drws cefn fe sylwais, er fy mrys gwyllt, fod bag chwarel fy nhad yn hongian y tu ôl i'r drws — peth rhyfedd iawn a hithau ddim ond newydd droi pedwar. Fyddai bws y chwarel ddim yn cyrraedd fel rheol tan ugain munud wedi pump. Oedd 'Nhad wedi dod adre'n sâl? Peth prin iawn yn ei hanes.

Gwyddwn fod rhywbeth o'i le wrth y ffordd yr oedd Mam yn bihafio: rhyw ogr-droi o gwmpas, eisiau dweud rhywbeth ac yn methu. Doedd hi ddim yn sbio arna i chwaith, ac yn ffidlan hefo'i brat. Roeddwn i wedi gofyn a oedd 'Nhad yn sâl a hithau wedi dweud mai dod adre'n fuan a wnaeth. Fedrwn i ddim dallt hynny chwaith gan fod 'Nhad yn un deddfol iawn, a hyd y gwyddwn i, erioed wedi 'dengid' adre'n gynnar o'r chwarel. Pan ddywedodd Mam ei fod yn sied yr ardd yn llifio blociau gwyddwn fod rhywbeth mawr yn bod. Llifio blociau ar gyfer tân ym mis Ebrill? Doedd hi ddim mor oer â hynny hyd yn oed yn Sling!

'Mae dy dad isio siarad hefo chdi,' meddai Mam. Yr eiliad honno fe wyddwn. Yr oedd o a Mam mae'n amlwg wedi penderfynu y byddai rhaid dweud wrtha i ac mai ar ddiwrnod fy mhen-blwydd yn un ar bymtheg yr oedd hynny i fod.

Roedd fy nghoesau'n crynu fel jeli wrth gerdded yr ugain llath o'r tŷ i'r sied yn nhop yr ardd. Dôi sŵn llifio gwyllt o'r tu mewn. Sefais y tu allan am hir cyn mentro agor y drws. Roedd 'Nhad yn laddar o chwys a wnaeth o ddim codi'i ben am sbel er ei fod o'n gwybod yn iawn 'mod i wedi dod i mewn. Dyma fo'n stopio, yn tynnu'i gap a sychu'r chwys hefo'i lawes, yntau, fel Mam, yn methu edrych i'm llygad i. 'Mhen sbel, medda fo, 'Yli . . . ym . . . wel . . . y peth ydi . . .' Hefo'r llif ar y blocyn pren y siaradai. Fedrwn i ddim dal dim mwy, a dyma'r geiriau 'Dwi'n gwbod, a dio'm ots gen i' allan yn un chwydfa. 'Mi ddeudodd Mari ac Anti Meri Jên wrtha i flynyddoedd yn ôl a dio'm ots gen i.'

Doedd 'Nhad erioed wedi bod yn un am afael amdana i ond bu bron iddo wneud y tro hwnnw. Edrychodd arna i, gwenu'n wan, a dweud 'Oh'. Anferth o 'Oh'. Rhedais innau allan a sefyll wrth Giât y Gors am sbel er mwyn rhoi siawns i 'Nhad fynd i'r tŷ i ddweud wrth Mam — ac i minnau grio llond fy mol.

Dwi'n siŵr bod y ddau wedi mynd trwy uffern ers wythnosau — ers blynyddoedd efallai — yn gweld y dydd yma'n dod.

Pan ddois i'r tŷ roedd Mam wedi bod yn crio hefyd. Gafaelodd amdana i a 'ngwasgu'n dynn, dynn. Erbyn hynny roeddwn innau'n foddfa eto. Estynnais fy mhethau ffwtbol a'u rhoi nhw yn y bag dyffl a rhedeg y filltir i lawr yr allt i Dregarth i ddal bws i Fangor.

Soniodd yr un ohonon ni air am y peth wedyn. Roedd popeth wedi'i ddweud hefo'r 'Oh' a'r gwasgu.

Ymhen blynyddoedd maith wedyn y daeth Mary fy chwaer i wybod am ei brawd, a mawr fu'r dathlu. Heddiw rydan ni wrth ein bodd bod gynnon ni frawd a chwaer yr un sy'n cael eu pen-blwydd ar yr un diwrnod yn union! Mae Mary a Dilwyn ei gŵr yn byw heddiw yng Nglyndyfrdwy ac yn rhieni i bedair o enethod — Catherine, Luned, Bethan a Lisa. Mae angen bwrdd go fawr pan ddaw'r cyfle prin i ni i gyd fod hefo'n gilydd.

Mae 'Anti Mona' (yn ôl y Dr John Gwilym Jones, hi oedd un o'r actoresau amatur gorau a welodd erioed) ers blynyddoedd maith yn briod hefo Yncl Dei, cynhyrchydd y dramâu a welodd John Gwil. Mae hi'n dal yn dlws yn ei phedwarugeiniau a mawr ydi gofal Yncl Dei ohoni. Yr ail gymwynas fwyaf a wnaed â mi erioed oedd iddi ofyn i Annie a Harri gymryd yr hogyn. Y gymwynas fwyaf un oedd iddyn nhw dderbyn.

Sling a Theulu Agos

Pentref bach ydi Sling hanner ffordd rhwng Tregarth a Mynydd Llandygài, rhyw ddwy filltir dros y ffridd a phedair rownd y lôn o Fethesda. A chwe milltir o Fangor, lle dwi'n byw rŵan. Dyna'r jiograffi ichi. A'r 'patch' uchod oedd fy myd bach mawr i am flynyddoedd.

Anodd ydi gwybod weithiau ymhle mae pentref yn dechrau ac yn darfod. I mi, roedd Sling yn dechrau wrth ymyl 'Llety' ac yn gorffen, yn addas iawn, wrth ymyl dau dŷ o'r enw 'Top Sling'. Wel, fedrwch chi fynd dim pellach na'r 'Top', na fedrwch?

Tri dwsin o dai oedd Sling i gyd, ac mae hynny'n cynnwys y deg tŷ cyngor, Godre'r Parc, a adeiladwyd pan oeddwn i'n blentyn. Felly rhyw shedan yr ochr yma i bentref oedd o, a doedd pob mapiwr ddim yn trafferthu ei gynnwys, er mawr siom i mi yr adeg honno.

Yn Cross Terrace yr oeddwn i'n byw. Rhif Saith o wyth o dai a redai'n groes i'r lleill i gyd. Pan fyddwn i'n sgrifennu f'enw ar y llyfrau ers talwm, '7, Cross Terrace, Sling, Tregarth, *near* Bangor', fyddwn i'n roi. Roedd cyfeiriad yn rhywbeth swyddogol ac felly i'w roi yn Saesneg. Heddiw mae'r arwydd 'Rhes Groes' yn sefyll yn falch ar ben y stryd.

Tŷ carreg, solet — parlwr cefn, parlwr ffrynt, lobi, tair llofft, a sied lin-tw yn y cefn, cowt bach a chwt glo — oedd Rhif Saith, hefo gardd hirgul yn y ffrynt. Yr unig gof sydd gen i o Nain (mam 'Nhad) ydi cael chwip din ganddi yng ngiât yr ardd honno am roi cic i Margaret y faciwî. Rhyw bedair oed oeddwn i, a Margaret yn bymtheg. Pam y rhois i gic i Margaret wn i ddim ond tebyg fy mod i'n haeddu'r chwip din am wneud. Roedd hi wedi colli'i rhieni yn ystod y bomio fu ar Lerpwl a hefo ni y bu hi'n byw nes bod yn ddigon hen i adael cartref. Erbyn hynny yr oedd hi'n Gymraes lân loyw. Gan ei bod hi'n dal i fyw yn yr ardal byddwn yn gweld ein gilydd bob hyn a hyn.

Roedd Taid (tad 'Nhad) wedi marw ers blynyddoedd a dim ond clywed sôn amdano fo wnes i. Buaswn wedi licio'i 'nabod o. Yn ôl pob tebyg yr oedd yn un tawel, ffeind, llawn hiwmor, a Nain yn un flin, fyr ei thymer. Roedd golwg flin ar Nain ymhob llun a welais i ohoni erioed. Ond un mwyn oedd Taid.

Cofiaf Yncl Bob yn dweud ei hanes yn dod i Sling am swper pan oedd o'n canlyn Anti Annie, chwaer 'Nhad. Y tro cyntaf iddo fod acw. Yntau'n fwytwr harti ac yn bwrw iddi. Taid yn edrych arno fo am sbel ac wedyn yn dweud, 'Dyna ti, Bob bach, byta di fel tasa ti'n talu amdano fo.' Yncl Bob yn stopio'n syth nes gwelodd fod Taid yn chwerthin yn braf.

Yng ngwaelod ein gardd ni roedd talcen cefn capel Gorphwysfa — capel Wesla — capel ni. Nid Wesla oedd y teulu chwaith ond Annibynwyr o hil gerdd. Ond doedd 'Nhad ddim yn credu mewn pasio un capel i fynychu capel arall ac er bod ei frawd, Yncl Huw, yn flaenor yng Nghapel Chwarelgoch yng ngwaelod y ffridd, i Gorphwysfa yr aeth o, a ninnau i'w ganlyn. Mae Gorphwysfa a Chwarelgoch wedi cau erbyn hyn a dwi'n siŵr y byddai gan 'Nhad ac Yncl Huw rywbeth i'w ddweud am hynny.

Ar y dde i Sling roedd Parc Defaid yn ymestyn am Foel-y-Ci a throsodd i Riwlas, ar y chwith Cors a Ffridd Chwarelgoch, Penyffriddoedd, a throsodd i Goed y Parc a Bethesda. Môr o le i hogyn bach dyfu a chwarae ynddo ac mi wnes yn fawr o'm cyfle.

Chwarelwr, a fu'n weithiwr siop, a fu'n cadw siop 'chips' ac a fu hefyd am gyfnod yn löwr yn Abercwmboi, ger Aberdâr, oedd fy nhad. Dyn bychan a chalon fawr, yn wyllt fel matsian, a thuedd i weld popeth yn ddu a gwyn. Roedd ganddo farn bendant, unllygeidiog yn aml, ar bopeth a mynegai'r farn honno yn ddigon plaen. Fe ddigiodd sawl un wrth ddweud ond oherwydd y galon fawr fe gâi faddeuant gan bron pawb. Bu'n weithiwr caled ar hyd ei oes a byddwn yn rhyfeddu'n aml at y nerth a'r ynni mewn corffyn mor eiddil yr olwg. Ond pobl fel'na oedd pob chwarelwr yr oeddwn i'n ei 'nabod.

Mam wedyn yn hollol wahanol. Un galon fawr wirion o garedig oedd Mam ac roedd y dyrfa a ddaeth i'w chynhebrwng yn brawf o hynny. Gwelai'r ochr orau i bawb, yn enwedig fy ochr orau i. A dweud y gwir, fedrwn i wneud fawr ddim o'i le yng ngolwg Mam.

Mae Caradog Prichard yn dweud iddo fynd i neges un tro 'a chariad mam wedi'i lapio'n gynnes amdana' i.' Fedra i mo'i ddweud o'n well na Charadog. Y gwir plaen ydi fod Mam wedi fy sbwylio'n rhacs. Pan fu farw, a 'Nhad a minnau'n rhoi trefn ar bethau, daethom o hyd i focs bach ym mherfeddion rhyw gwpwrdd. Ynddo, wedi'u lapio mewn papur sidan, yr oedd hanner dwsin o gudynnau cyrliog. Mam wedi'u cadw nhw ar ôl i mi gael torri fy ngwallt am y tro cyntaf. (Ew, fe allwn i wneud hefo'r cyrls hynny heddiw!) Hefo nhw, yn y bocs bach a fu unwaith yn dal 'blackcurrant pastilles', yr oedd pentwr o rubanau, nid rhubanau gwallt ond rhubanau a enillais mewn 'steddfodau ym mlynyddoedd fy ieuenctid. Y cwbl wedi'u cadw'n ofalus a'u lapio hefo'r cariad hwnnw a oedd mor nodweddiadol ohoni.

Yncl Huw, Anti Annie ac Anti Martha — tri o ochr 'Nhad. Byddwn wrth fy modd yng nghwmni Yncl Huw. Roedd o'n byw yng Ngharreg-y-Bedol, y tu ôl i dŷ ni. Chwarelwr oedd yntau hefyd ac roedd ganddo gof fel eliffant. Er iddo adael yr ysgol yn bedair ar ddeg doedd dim pall ar ei awydd i ddysgu. Wedi iddo roi'r gorau i weithio byddai'n mynd o gwmpas cymdeithasau lleol i roi darlith ar 'Hynafiaethau Plwy Llandygài', darlith awr a mwy a hynny heb sgrap o bapur. Pob enw, pob dyddiad, pob digwyddiad, yn saff ar ei gof. Yncl Huw a ddechreuodd fy niddordeb i yn hanes y chwarel, ond mwy am hynny eto.

Roedd Yncl Huw wedi priodi Meri Jên, un â'i gwreiddiau yn Abercwmboi, ger Aberdâr. Yn wir, roedd 'Nhad, Yncl Huw ac Yncl Tom wedi bod yn gweithio yn y pyllau glo yno am rai blynyddoedd pan oedd pethau'n fain yn y chwarel. Daeth Yncl Huw â'i wraig adref hefo fo ond arhosodd Yncl Tom yn y De. Bu farw yno cyn i mi 'rioed ei 'nabod ond bûm draw yn ymweld â'r teulu hefo Mam a 'Nhad yn 1956 pan oedd y 'Steddfod yn Aberdâr, a bu Anti Meri, ei weddw, acw sawl gwaith.

Cafodd Yncl Huw a'i briod ergydion mawr yn ystod eu hoes: colli tri phlentyn — Glenys eu merch hynaf, yn

17

ddeunaw, Mari yn dair ar ddeg hefo llid yr ymennydd (noson trip yr Ysgol Sul ac fe gofiaf y noson yn glir) a Wil eu mab hefo trawiad ac yntau'n ddim ond pedair a deugain. Buasai ergydion fel'na wedi sigo, wedi suro llawer un ond fe lwyddodd Yncl Huw yn rhyfeddol i wrthsefyll y cyfan. Bu Menai (chwaer Anti Meri Jên) a Deio ei phriod yn gefn mawr i'r ddau.

Roedd Yncl Huw yn gymwynaswr lleol hefyd. Yn dawel bach âi â chinio dydd Sul i hen ŵr oedd yn byw rhyw hanner milltir o'r pentref a byddai'n gofalu am hen wreigan mewn lle o'r enw 'Hillside' ar draws y ffridd. Er na wnaeth o erioed, i mi gofio, wylltio hefo fi roedd ganddo yntau, fel 'Nhad, ffiws braidd yn fyr a thipyn o enw fel dyn yn medru 'handlo'i facha' hefyd pan oedd o'n ifanc.

Yn Gerlan, uwchben Bethesda, yr oedd Anti Annie yn byw. Byddwn wrth fy modd yn mynd yno, yn enwedig a hithau wedi priodi Yncl Bob. Roedd Yncl Bob yn arwr a ffefryn mawr gen i pan oeddwn i'n llefnyn. Roedd o'n canu yng Nghôr y Penrhyn, y côr gorau yn y byd — yr unig ganwr yn y teulu — ac yn licio barddoniaeth. Un handi iawn hefo'i ddwylo a phan fyddai angen bildar neu blymar, neu rywbeth felly yn tŷ ni, Yncl Bob fyddai'n gwneud y gwaith. Bron na fyddwn i'n deisyfu i bethau fynd o'u lle er mwyn i Yncl Bob ddod acw.

Bob Huw William oedd o i'w gydnabod yn y chwarel a'r pentref, ac yn frawd i Alun Rhiwlas, canwr da arall ac un tebyg iawn o ran natur. Byddwn wrth fy modd yn clywed y ddau'n canu hefo'i gilydd.

Anti Annie oedd yr olaf o'r teulu i'n gadael ni ac yn ystod ei blynyddoedd olaf cafodd Maureen a minnau gryn dipyn o'i chwmni a mwynhau ei straeon am yr hen amser. Dynes falch ohoni'i hun a'i thŷ oedd Anti Annie, bob amser yn dwt a'r tŷ fel pin mewn papur. Un hwyliog ar ei gorau.

Fy hoff stori i oedd honno amdani hi a Nain yn cerdded o Sling i Fangor i dalu rhent i stad y Penrhyn. Pump oed oedd Anti Annie ar y pryd, meddai hi. Os oeddech chi'n talu'r rhent yn gyflawn, ac ar amser, byddai'r stad yn rhoi swllt o ddisgownt ichi. Byddai hynny wedi bod yn ddigon i dalu trên i'r ddwy yn ôl i Dregarth ond penderfynodd Nain brynu llestri ym marchnad Bangor a bu'n rhaid cerdded adref hefyd. Taith ddwyffordd o ddeuddeng milltir. Rhywle tua Hendrewen daeth dynes i'w cyfarfod yn powlio coits-gadair. Ynddi yr oedd merch fach yn cario babi-dol. Gwaeddodd Anti Annie wrth weld y babi-dol:

'Mam, mam, un fel'na dwi isio.'

'Annie, bach,' meddai Nain, 'Fasa waeth iti ofyn am y lleuad ddim.'

'Dwi ddim isio'r lleuad. Isio babi-dol dwi.'

Pan aeth Anti Annie i gartref yn Llanfairfechan (lle arbennig iawn, Plas y Llan, ac fe fu'n hapus iawn yno) es draw i'w gweld un Sadwrn. Roedd hi'n eistedd yn y Lownj Fawr yn ddel a thrwsiadus fel erioed. Sylwais fod un hen wreigan ar draws y 'stafell yn sbio arna i yn go arw. Toc, dyma hi'n gweiddi ar un o'r genod:

'Nyrs, dowch yma. Pwy 'di hwnna'n fan'cw?

'John Ogwen 'di o.'

'Duw, 'di o yma rŵan.'

Bu'n rhaid i mi fynd allan i chwerthin er mai mynd allan i grio a ddylwn i fod wedi'i wneud, debyg.

Un pnawn Nadolig pan oedd hi'n dal gartref fe drawyd

19

Anti Annie'n wael ac es innau draw yno i edrych ar ei hôl. Er iddi wella at gyda'r nos penderfynais aros hefo hi. Roedd pennod olaf o'r gyfres 'Minafon' ymlaen y noson honno a dyma hi'n dweud y buasai'n hoffi ei gweld.

Roedd gan Anti Annie delifision 'run faint â soser Jodrell Bank, un du a gwyn, a'r sain mor uchel ag y medrai'r sain fod. Dwi'n siŵr ei bod hi'n glir fel cloch yng Nghapel Curig. Dyna lle'r oedden ni'n gwylio a phan ddaeth fy wyneb i ar y sgrîn — mewn du a gwyn — medda hi, 'Wel toes gin hwn ll'gada tlws.'

Gwyddai'n iawn mai fi oedd yn actio Dic Pŵal ond tra oedd y rhaglen ymlaen Dic Pŵal *oeddwn* i. Doedd y ffaith fy mod i'n eistedd wrth ei hochr yn golygu dim. Wedi i'r rhaglen orffen gofynnodd, 'Tua Trefor 'na 'dach chi'n ffilmio hwn'na 'te?'

Rhyfedd, ond ddywedodd hi erioed fod gen *i* 'll'gada tlws'.

Yn ystod ei misoedd olaf, ac ar ôl codwm a thorri'i chlun, roedd arni angen gofal ddydd a nos a bu'n rhaid symud i gartref arall. Erbyn hynny doedd fawr ots ganddi ymhle roedd hi, sut roedd hi'n edrych na beth oedd yn digwydd iddi. Ambell waith ddywedai hi 'run gair wrtha i na Maureen mewn hanner awr o ymweliad. Does dim byd gwaeth na cholli urddas, a theimlad o ryddhad a diolch ynghyd ag atgofion am y ddynes yn ei thŷ yn Gerlan oedd gen i pan fu farw.

Yn Rachub yr oedd Anti Martha'n byw. Os oeddwn i wrth fy modd yn mynd i Gerlan roedd yn gas gen i fynd i Rachub. Nid oherwydd Rachub na'i phobl dda, dwi'n prysuro i ddweud, ond am fod Anti Martha (yn ôl 'Nhad, ac roedd fy mhen ôl innau'n ei amenio) yn debyg iawn i Nain. Rhyw shedan yn flin fuasech chi'n ddweud!

Tŷ bychan oedd tŷ Anti Martha a hwnnw'n llawn o ddodrefn. Fedrech chi ddim troi yno ac, yn waeth na hynny, chaech chi ddim troi yno chwaith. Wel, chawn *i* ddim beth bynnag, a chawn i ddim mynd allan i chwarae, dim ond eistedd ar flaen fy sêt yn cyfri 'mysedd neu'n gwneud penillion cas am Anti Martha yn fy mhen. Doedd wiw i mi godi neu fe fuasai Anti Martha'n dweud 'Stedda'r cnonyn' yn reit siarp a sbio fel darn o gythra'l arna i. Fûm i 'rioed yn un da am aros yn llonydd a phenyd o'r mwyaf fyddai'r trip achlysurol i 2, Cae Chwarel. Doedd wiw i mi chwaith alw'r lle yn Rachub o flaen Anti Martha. Llanllechid oedd enw'r lle iddi hi.

Dwi ddim yn cofio'i gŵr hi, Yncl Wil. Bu farw'n gymharol ifanc, ond dwi'n cofio teimlo biti drosto fo wedi priodi Anti Martha. Ond fe fyddai hi'n gleniach hefo fi pan fyddai'n dod acw i Sling ac fel yr awn innau'n hŷn.

Ar ochr Mam roedd Yncl Now. Roedd gan Yncl Now lond tŷ o blant ac un o'r rheiny oedd *fy* arwr i pan oeddwn i'n hogyn. Iorys Griffiths, un o'r pêl-droedwyr gorau a wisgodd grys Dinas Bangor erioed. Y fi fyddai'r balchaf o'r dyrfa yn gwylio oherwydd bod fy nghefnder yn chwarae.

Cyn-forwr (partner i'r enwog Dic Evans, Moelfre) wedi troi'n gondyctor bysys oedd Yncl Now ac yn byw ym Maesgeirchen ger Bangor. Fyddwn i byth yn talu ar fws Crosville os mai Yncl Now oedd y condyctor. Un hynod o hoffus, gwên lydan ar ei wyneb rhychiog bob amser, a sŵn sigarets ar ei lais. Fe gawn groeso arbennig yn nhŷ Yncl Now ac Anti Maggie bob tro ac awn i byth adref oddi yno'n waglaw chwaith. Byddai fy nghyfnitherod,

Dilys a Gwen, hwythau hefyd yn fawr eu ffŷs ohona i. Roedd Gwen yn debyg iawn i Anti Mona, yn dlws, dlws. Bu Dilys yn gweithio yng nghantîn y BBC ym Mangor am flynyddoedd a byddai'n cael tocynnau braint i Mam a minnau fynd i weld rhaglenni radio'n cael eu recordio yn Neuadd y Penrhyn, Bangor. Rhaglenni byw yn y cyfnod hwnnw. Yr un y byddwn i'n fwynhau fwyaf oedd 'Camgymeriadau' lle byddai Charles Williams yn actio hogyn bach drwg yn gwisgo hen gap ysgol ar ei ben. Hanes 'Sal Volatile, chwaer Ammonia'. A'r llinellau a ddaeth yn rhan o sgwrs bob dydd y cyfnod:

'Diolch yn fawr, Nain.'

'Am be, ngwas i?'

Wel, am ddim byd . . . eto, te.'

Roedd Charles yn rhyfeddol o ddigri. Y dyn a fyddai ymhen blynyddoedd yn actio fy nhad yn yr *Archers* o bob dim dan haul y greadigaeth.

Yn nhŷ Yncl Now y gwelais gêm ffwtbol ar y teledu am y tro cyntaf. Wedi mynd i lawr yno'n arbennig hefo 'Nhad i weld Blackpool yn curo Bolton o bedair gôl i dair yn 1953. Mae honno'n dal i fod yn un o'r gemau gorau a welais i erioed.

Roedd pawb o'r teulu agos, hyd yn oed eu plant, y rhan fwyaf ohonynt, yn llawer hŷn na fi. Pobol hŷn oedd o 'nghwmpas i ymhob man a thebyg fy mod i wedi aros yn blentyn yn hwy nag y dylwn i er mwyn cael yr un sylw. Ydi'r elfen blentynniadd yn gadael actor byth?

Sling a Pherthyn Dros Ben Cloddia

Mae'n bosib' i rywun sy'n byw mewn pentref, hyd yn oed un mor fychan â Sling, 'nabod mwy o bobl na rhywun sy'n byw mewn tref. Mewn pentref fe ddowch i 'nabod pawb. Yn aml iawn mewn tref ddowch chi ddim i 'nabod y rhai sy'n byw yn yr un stryd â chi.

Roeddwn i'n 'nabod pawb yn Sling, tipyn go lew yn Nhregarth, (pentref, er yr enw) a nifer sylweddol ym Mynydd Llandygài. Cylch go eang o bobl.

Mi fedra i eistedd wrth y prosesydd 'ma rŵan a gweld Sling a'r bobl ar deledu'r cof. Dewis y llun. 'Wide-angle' o du mewn Capel Gorphwysfa ar nos Sul. Nid tyrfa fawr ond nifer o bobl wahanol iawn. Cyt i'r 'Close-ups'.

Rolant Jôs, Ffynnon Bach (yn dechnegol, nid un o Sling gan mai ar draws y ffridd yr oedd o'n byw, ond yn addoli yn Sling, a pha well tocyn aelodaeth). Byddai bob amser yn cyrraedd y capel chwarter i'r awr ac yn sefyll wrth y giât a wynebai'r gors nes y dôi rhywun arall i fynd i mewn gyntaf. Waeth beth fyddai'r dywydd byddai ganddo gôt law blastig dros ei dop côt las tywyll ac ambarel ar law trwm, a 'sgidiau mawr wedi'u polishio nes gallech chi weld eich llun ynddyn nhw. Yn fy arddegau cynnar byddwn yn rhedeg trwy'r gors i gael rhoi rhifau'r emynau ar y bôrd cyn i'r pregethwr gyrraedd ac fe ddywedai Rolant Jôs yr un peth bob bore Sul. Edrych tuag at fynyddoedd Y

Carneddau a'i gartref, Ffynnon Bach, y byddai a dweud, 'Nef a daear, tir a môr, John bach.'

Meddyliais i — yn glyfar i gyd — y buaswn i'n achub y blaen arno un bore a dyfynnu'r emyn cyn iddo gael cyfle.

'Nef a daear, tir a môr, Rolant Jôs,' meddwn i.

'Sydd yn datgan mawl ein Iôr, John bach,' meddai yntau'n syth bin.

Eistedd yn y cefn y byddai Rolant Jôs bob amser. Doedd o ddim yn geffyl blaen. Gwthio'r drol yn ddistaw a wnâi nid ei thynnu, na sefyll ar ben y das. Un hael at yr achos. Chlywais i 'rioed mohono'n dweud yr un gair yn gyhoeddus ar unrhyw bwnc. Roedd gan fy nhad feddwl mawr iawn ohono ac fe âi i'w helpu hefo'r gwair.

Rhyw fymryn yn is i lawr at y blaen yr eisteddai teulu Penffriddoedd, a Norman (Norm P), un o'r meibion, yn eistedd hefo ni'r hogia yn y blaen. Y fo achosodd un o'r digwyddiadau digrifaf i mi ei gofio yn y capel. Arferai hen weinidog wedi ymddeol ddod acw i bregethu, R. H. Pritchard. Rŵan, doedd R.H. mo'r mwyaf tanllyd, a braidd yn aflonydd oedden ni pan fyddai'n pregethu. Ond yr oedd un nodwedd, un arferiad bach rhyfedd yn perthyn iddo. Wrth ddarllen byddai'n llefaru'n berffaith, wrth bregethu yr un fath, ond pan fyddai'n gweddïo, am ryw reswm neu'i gilydd, rhoddai ryw 'yyyyhhh' i mewn bob hyn a hyn. Roedden ni'r hogia wrth gwrs yn gweld hyn yn beth digri iawn ac yn cael trafferth i beidio â chwerthin tra'n plygu'n pennau a chwarae pinsio o dan y silff fechan ar flaen ein sedd.

Un nos Sul roedden ni wedi cael bet faint o weithiau y byddai R.H. yn ei 'yyyyhhhïo' hi. Un geiniog o'r ddwy geiniog ar gyfer y casgliad oedd y fet, a'r agosaf ati i gael y grôt.

'Deuddag,' meddai Ffred Jaques.

'Ffôrtîn,' meddai George Ty'n Llidiart.

'Ffifftîn,' meddwn innau.

'Twenti-ffôr,' meddai Norm P.

Roedden ni'r tri ceidwadol yn gytûn for Norm P wedi'i methu hi'n ddirfawr ond sut y gwydden ni fod R.H. yn mynd i weddïo am chwarter awr solet! Pasiodd ddeuddeg, ffôrtîn, ffifftîn, fel petaen nhw'n ddim a phan ddaeth yr 'yyyyhhh' am y pedwerydd tro ar hugain methodd Norman â mwynhau ei lawenydd yn dawel. 'Ieeee. Fi sy 'di ennill!' medda fo dros y capel.

Dyma R.H. yn stopio, yna fe lusgwyd Norman o'r sêt gerfydd ei glust gan ei dad, a sawl un yn twt-twtian yn uchel. Ar ôl y noson honno fe'n gwahanwyd ni'n pedwar am sbel. Ond y tro anoddaf i mi orfod peidio â chwerthin yn y capel (a methu'n llwyr wnes i wrth gwrs) oedd y noson y daeth un Mr Elfyn Hughes acw i bregethu. Roedd ganddo golofn reolaidd yn y *Chronicle* o dan y teitl '*As I See It by C.E.H.*'

Pregethwr mynd a dŵad oedd Mr Hughes, hynny ydi, byddai'n mwmblan yn dawel am hydoedd ac wedyn yn rhoi bloedd i ddeffro'r meirw — a ninnau'n eu sgil. Y noson honno, wrth roi'r floedd, saethodd ei ddannedd gosod, top a gwaelod yn dwt hefo'i gilydd, allan o'i geg a syrthio fel 'sandwich' i ganol y sêt fawr.

Ydach chi'n cofio fel y byddai'r llun yn rhewi ar *Dr Kildare* ers talwm? Wel, felly'n union roedd hi yn y capel wedi hedfaniad y dannedd. Mae'n siŵr mai dim ond am ychydig eiliadau y bu'r llonyddwch ond roedd yn ymddangos fel oes. Yn dawel dyma Goronwy Wilias, un o'r blaenoriaid, yn codi o'i sêt a cherdded yn araf at y dannedd. Ar ei ffordd cododd un o'r platiau casgliad oddi ar y bwrdd, wedyn plygu fel petai'n ofni cael brathiad cyn gosod y dannedd ar ganol y plât. I fyny grisiau'r pulpud â fo ac estyn y plât i C.E.H. Yntau'n estyn y dannedd oddi arno, eu rhoi yn ôl yn ei geg, a mynd ymlaen hefo'r bregeth!

A dyna pryd y chwerthais i. Nid yn uchel — roedd gen i tua hanner pwys o hances yn fy ngheg — ond chwerthin y tu mewn nes oedd pob asgwrn yn brifo. I wneud pethau'n waeth yr emyn olaf oedd Rhif 470 — 'Mae addewidion melys wledd' — a minnau'n dychmygu'r hen greadur yn trio bwyta yn y wledd heb ei ddannedd gosod!

Kitty, Ffynnon Bach Ucha, oedd yn eistedd o flaen teulu Penffriddoedd. Merch annwyl iawn. Roedd Kitty wedi bod yn canlyn Goronwy Wilias, y blaenor uchod, am flynyddoedd lawer, ac roedd y ddau mewn tipyn o oed yn priodi. 'Annwyl Frodyr a Chwiorydd' oedden ni'r hogia yn galw Gron am mai dyna a ddywedai wrth godi i annerch o'r sêt fawr. Dyn ffeind iawn oedd Gron, a chan mai trafaeliwr oedd o, roedd yn un o'r ychydig rai yn y pentref a ddreifiai gar. Roedd llun ohona i yn rhywle, tua phump oed, yn pwyso ar fydgiard Morris 8 Goronwy.

Yn y sêt fawr hefo Gron yr oedd Gron arall. Goronwy Hughes, un hwyliog a diwylliedig, ac un arall a briododd mewn tipyn o oed cyn symud i fyw i Ben Llŷn. Dau frawd oedd y ddau arall, sef John Hughes, o'n stryd ni, hen chwarelwr duwiol a da, a Joseph Hughes. Doedd Joseph Hughes ddim yn un o hoff ddynion fy nhad oherwydd ei fod yn pregethu'n gynorthwyol ac yn cymryd y saith a chwech o ffi am bregethu yn ei gapel ei hun. Fu yna fawr o dda rhwng y ddau ar ôl i 'Nhad edliw hynny wrtho fo.

Fe symudwn i'r ochr arall rŵan a chychwyn yn y pen pellaf o'r drws. Mrs Hughes, gwraig John Hughes, y blaenor. Welais i 'rioed neb a fedrai grio mor rhwydd â Mrs Hughes — crio o glywed newyddion da a drwg fel ei gilydd. Roedd gan Mr a Mrs Hughes fab a merch. Thomas Edwin oedd y mab, Prifathro tuag Amwythig. Byddai'n dod i'r capel ac yn galw acw'n ddi-ffael pan ddôi adref yn ystod gwyliau'r ysgol. Aeth o 'rioed o'n tŷ ni heb roi rhywbeth yn llaw 'Nhad. Caredigrwydd tawel un oedd wedi llwyddo. Hannah Lisi (Rowlands) oedd y ferch. Mae Mrs Rowlands yn dal i gefnogi'r achos ym Mangor. Pan oedd Mam a 'Nhad yn prynu'n tŷ ni yn Sling (am £150!) fe werthwyd rhai pethau i godi arian, gan gynnwys wats aur ac fe'i prynwyd hi gan Mrs Rowlands. Wyddwn i ddim am y peth ond ychydig flynyddoedd yn ôl daeth acw a chyflwyno'r wats i mi. Diolch iddi am hynny.

Wedyn teulu Weun, Megan a'i mam. Byddai clefyd siwgwr yn taro Mrs Griffith Weun bob hyn a hyn ac fe lewygai yn ei sêt. Rhywun wedyn yn rhedeg i'r festri i nôl tipyn o siwgwr ar flaen llwy a'i roi iddi. Hithau'n dod ati'i hun ac yn dweud, 'Dach chi'n frwnt hefo fi' cyn i bawb setlo a gwrando ar weddill y bregeth.

Jennie, chwaer Goronwy Hughes. Bob Wilias a Cathrin Meri, Rhif Pedwar stryd ni wedyn. Credai Bob Wilias mai fo a ddylai fod yn godwr canu ac felly edrychai ar Tedi Jaques, y codwr canu swyddogol, o gongl ei lygad a cheisio neidio ar ei draed o'i flaen o. Y fo oedd y codwr cyntaf os nad oedd o cweit yn godwr canu. Edith Mary

Jones y tu ôl iddyn nhw. Anti Jôs oedd hi i bawb, yn bobl a phlant.

Fuasai'r pentref ddim wedi medru ffynnu heb Anti Jôs. Roedd hi'n galon i bob dim, i bob digwyddiad, ac yn gwneud popeth hefo hiwmor heintus. Pan oedd 'Nhad yn cadw ieir, ac yn derbyn ordors am ffowlyn at y Nadolig, dôi Anti Jôs acw i helpu Mam i bluo a ll'nau'r adar. Mewn twb sinc mawr y bydden nhw wrthi, a'r ddwy'n chwerthin 'i hochr hi. Sôn y bydden nhw am bobl o Hirael, Bangor. Nid ardal y chwareli'n unig oedd yn enwog am lasenwau. Tra'n smalio darllen, byddwn yn gwrando ar bob gair, ac felly y dois i wybod am Neli Picl Herrin, Teulu Cachu Sigyl, a Joni Wan Bôl! Roedd Hirael, fel Sling, yn debyg i bentref pan oedden nhw'n blant. Pan fyddai Mam ar ei mwyaf giami yr un ymwelydd a fyddai'n sicr o godi'i chalon a'i hysbryd oedd Anti Jôs, a doedd dim byth yn ormod ganddi i'w wneud. Un o bobl orau'r byd, Anti Jôs.

Blodwen Isfryn yn y sêt nesaf, a Griff ei gŵr hefo hi ar ôl iddi briodi. Chwaer Gron (Morris 8) oedd Blod ac yn wyres i John Williams, Rynys, un o ddynion mawr Undeb y Chwarelwyr yn ystod Streic Fawr 1900-03. Bu Blod yn hynod o ffeind hefo fi pan oeddwn i'n blentyn.

Dwi'n amau a fuasai Mam wedi medru dygymod hefo'i salwch, a minnau i'm magu, oni bai fod Blod wedi ysgwyddo cymaint o'r baich. Gan fod pawb o'r teulu yn hwyr yn eu canol oed — oedd pobl yn heneiddio ynghynt yr adeg honno? — roedd cael rhywun ifanc ei hoed a'i hysbryd yn fendith. Byddai'n mynd â fi i'w chanlyn i bobman bron a bob amser yn wirion o ffeind hefo fi. I Fangor, Llanfairfechan, Penmaen-mawr ar y bws. Dwi'n siŵr iddi wario ffortiwn arna i. Roeddwn i'n meddwl mai fi fyddai ei gŵr hi ar ôl tyfu ond doedd hi ddim yn aros yr un oed! Fe gafodd ŵr a doeddwn i ddim yn flin achos roedd Griff yn goblyn o hen foi iawn.

Mrs Owen, Ty'n Llidiart, wedyn, mam George fy ffrind pennaf. Dynes glên, hoffus, fawr ei chroeso. Fe'm cafodd i ar draws ei thŷ gannoedd o weithiau. Fyddai George, tad George, ddim yn dod i'r capel yn aml. Poli Morris, a John Cae Metta ei gŵr, a Hannah Elin, chwaer Poli. Drws nesaf i ni yr oedden nhw'n byw. Mae gen i gof am Robat Morris y tad hefyd, un o'r chwarelwyr hynny hefo dwylo medrus iawn. Dwi'n cofio gweld model o dŷ a wnaeth o, a meri-go-rownd a hwnnw'n troi a phob dim. A miwsig yn ei fol o. Yn sied gwaelod yr ardd roedd o wrthi ond doedd fiw ichi fynd i mewn. Ar ôl crefu'n daer y ces i weld y tŷ a'r meri-go-rownd. Hannah Elin oedd yn gymeriad difyr. Roedd yn wael ei hiechyd ers blynyddoedd ac yn drwm ei chlyw ond yn hapus drwy'r cwbl. A lwcus, hogia bach, ymhob raffl, ymhob Grand National a Derby. Buasai wedi gwneud 'tipster' a godai gywilydd ar Wyn Griffith!

Wedi iddyn nhw symud i Graig Pandy daeth gŵr a gwraig o Lerpwl i fyw drws nesaf — Mr a Mrs Ashton, y mewnfudwyr cyntaf. Dod i Gymru ar ôl ymddeol, y nhw a Sali'r Pecinî. Roedd Ron eu mab yn beiriannydd hefo'r BBC ym Mhenmon ac mae'n debyg mai dyna pam y daethon nhw i'r ardal. Bu farw Mr Ashton ychydig ar ôl symud acw, a fi wedyn a gâi'r gwaith o dorri tywarchen ffres bob wythnos i'r ast bach wneud ei busnes arni yn y cowt cefn. Doeddwn i 'rioed wedi gweld Pecinî o'r blaen ac yn ei gweld yn beth digon hyll, a dweud y gwir. Ond gan fy mod yn hoff o gŵn buan iawn y daeth Sali a minnau'n bennaf ffrindiau. Yn wahanol i bob tŷ arall yn y pentref, roedd tŷ Mrs Ashton wedi'i garpedu trwyddo. Carped tew, drud. Roedd y dodrefn a'r decor yn ddrud hefyd ac roedd y teledu cyntaf wedi cyrraedd Sling.

Bu Mrs Ashton yn ffeind iawn hefo mi bob amser. Dwi'n dal i ddefnyddio'r geiriadur mawr a ges i'n anrheg ganddi a chawn groeso i fynd yno i weld y teledu.

Wedi marw ei phriod dwi'n siŵr iddi fod yn hynod o unig yn y pentref. Gwlad ddiarth, iaith ddiarth. Fedrai hi ddim cymysgu a bod yn rhan o fwrlwm y lle, a doedd hi ddim yn dymuno cymysgu chwaith. Er i Mam a minnau fod yno lawer gwaith does gen i 'rioed gof o Mrs Ashton yn dod i'n tŷ ni. Fe ddôi i'r drws a dim pellach. A hithau'n byw drws nesaf.

Pan fu farw'r ast bach y fi a gafodd y gwaith o'i chladdu yn nhop yr ardd — yr ast bach mewn lliain gwyn a Mrs Ashton a'r dagrau'n lli. Gosod llechen ar y bedd wedyn. Prynodd Becinî arall — ci, shedan yn ddelach — i gymryd lle Sali. Roedd ar hwnnw angen ei dywarchen hefyd.

Un o gymeriadau'r pentref oedd Elin Llety. Byddai dweud ei bod yn un hwyliog yn gwneud cam â hi. Does gen i ond cof am wên, neu'n hytrach, chwerthiniad, ar wyneb Elin ac mae hynny 'run mor wir heddiw. Felly y byddai Gwyl Prich ei gŵr hefyd.

Fydd dim ots ganddi imi sôn am ei saga hefo'r prawf gyrru. Honnir ar lafar gwlad i Elin drio'i phrawf gyrru tua dwsin o weithiau! Go brin fod y ffigwr yn gywir. Nes at ddau ddwsin dwi'n siŵr. Methodd unwaith (wel, medden nhw) am na fedrai weld rhif y car oedd wedi'i barcio o'i blaen hi cyn iddi gychwyn ar y prawf. Fe basiodd yn y diwedd. Petawn i'n destar, dim ond gwenu fuasai raid iddi a buaswn wedi'i phasio hi'r tro cyntaf.

O leiaf, gwyddai Elin ymhle roedd yr hand-brêc. Wyddai nyrs Tregarth mo hynny. Parciodd ei hen Ford Anglia glas ar ganol Allt Llety a mynd i ymweld. Pan ddaeth allan roedd y Ffordyn hanner ffordd i fyny'r wal wrth Fronheulog. Dringodd y nyrs iddo yn union fel petai parcio hanner ffordd i fyny waliau yn beth cwbl naturiol i'w wneud, ac i ffwrdd â hi 'run mor beryglus ag arfer am Dregarth.

Yn wahanol i Elin, doedd hi erioed wedi cael prawf gyrru. Buasai mynd hefo hi unwaith wedi bod yn ddigon am einioes pob testar o fan'ma i Honolwlw. Roedd patrwm o dolciau ar hyd y Ffordyn a fuasai wedi haeddu lle i'r hen gar yn y 'Tate Gallery'.

Gwenno Parry ac Ifor, Rhif Dau stryd ni, mam a thad Gwynfor ab Ifor, bardd a fydd, gobeithio, y cyntaf o Sling i ennill cadair y Genedlaethol. Gan Ifor y ces i bas ar foto-beic am y tro cyntaf a mwynhau'r profiad, a sawl sgwrs wrth giât yr ardd. Lisi Hughes a Tomi Hughes, brawd a chwaer John Hughes y blaenor. Hen ferch a hen lanc yn byw hefo'i gilydd yn Rhif Un stryd ni. Byddai Lisi Hughes yn ffenest llofft talcen bron drwy'r dydd yn gwylio'r byd yn pasio. Chwifiai ei dystar bob hyn a hyn i smalio'i bod hi'n ll'nau. Os oedd arnoch eisiau gwybod a oedd bws Bangor wedi mynd i fyny, dim ond gofyn i Lisi Hughes. Ond er ei chwilfrydedd doedd hi ddim yn fusneslyd oherwydd doedd hi ddim yn un am hel tai. Gwên ges i ganddi 'rioed.

Roedd Tomi Hughes yn smociwr 'Players' wrth y dwsin. Byddai'n dod acw ar ei hald ac yn syrthio i gysgu wrth siarad, a'r sigarét yn dal i fygu'n braf yn ei geg. 'Nhad yn ei thynnu odd'no rhag i'n tŷ ni fynd ar dân. Tomi wedyn yn deffro hefo andros o sgytiad ac yn mynd ymlaen â'i stori ar ôl hel llwch oddi ar ei wasgod, a thanio Pleran arall. Tybed a wyddai i ble'r aeth yr un o'i blaen hi?

Yn y sêt gefn y byddai Yncl Em (gŵr Anti Jôs) yn eistedd. Nid am ei fod o wedi ffraeo hefo Anti Jôs ond am na chyrhaeddai'r capel yn ddigon buan i eistedd hefo hi. Sleifiai i mewn tua deng munud wedi a'i gap yn ei law. Gwyddai pawb fod Yncl Em wedi cyrraedd am mai drws gwichlyd iawn oedd rhwng y 'porch' a'r capel, yn enwedig yn y gaeaf pan fyddai'r pren wedi chwyddo. Cyrhaeddai Gwynifer a Kathleen, y genod, ar unwaith â'u mam.

Yn y canol yn sêt y teulu yr eisteddai 'Nhad, gan wrando hefo'i law dan ei ben a'i lygaid ynghau. Pan oeddwn i'n hogyn bach, yno yr eisteddai Mam hefyd ond wedi imi ddechrau chwarae'r organ yn y capel fe symudodd i'r sêt fach wrth ochr yr offeryn. Miwsical syport!

Yn y sêt organ yr eisteddai Tedi Jaques, y codwr canu swyddogol. 'Tedi Wa Wa' oedden ni'n ei alw am nad oedd byth yn cofio geiriau'r emynau. Ei 'Wa-Waio' hi drwyddyn nhw a wnâi Tedi. Dyn solet, uchel ei barch serch hynny ac un a fu'n garedig iawn hefo mi pan wnawn lanast llwyr o ambell emyn-dôn. Er nad oedd yn organydd, mwy na minnau, byddai'n gwneud ei orau os nad oedd neb arall ar gael. Fe'i hedmygwn am hynny.

Gwilym Davies, Manweb, oedd yr organydd o 'mlaen i. Os oeddwn i'n mynd â hi fel y 'Flying Scotsman', rhyw shedan yn ara' deg oedd Gwil. Pwmpio pedalau'r hen organ fel petai ar gefn beic yn y 'Tour de France' ond chwarae'r cordiau'n ara' deg. Llawer gwaith roedd Tedi Jaques ar ganol ei Wââ-men pan ddôi Gwilym at y llinell olaf.

Rŵan, dim ond rhai o Wesleaid y pentref oedd y rheina! Roedd enwadwyr ac anffyddwyr eraill!

Bet (pishyn!) ac O.G. (a fyddai'n rhoi job i mi ym Mhost Bangor dros y 'Dolig a rhoi lifft i mi i'r gwaith); John Melancthon, hoff o'i beint, cyfeillgar; Glenys a'r tyaid o blant; Bobi a Hatti (a fyddai'n cadw'r bêl griced pan âi dros y wal i'r ardd); Lilian (pishyn arall) a Gwilym Wyn, a John hefo'i Norton 500 yn sgrialu i fyny Allt Llety; teulu Arthur Ifans Cipar, a Mr Smith y dyn tiwnio pianos hefo'i sbectols gwaelod pot jam.

Llawer gwaith y bu George Ty'n Llidiart a minnau'n dwyn eirin mawr o'i berllan ac yntau heb unrhyw syniad pwy oedden ni. Cofio cnocio'r drws unwaith a gofyn iddo a hoffai brynu rhai. Yntau'n rhoi chwech gwyn i ni am ddau bwys o'i eirin ei hun. Eirin bendigedig oedden nhw hefyd.

Mrs Griffith, neu Cyp fel roedden ni'n ei galw hi, mam Bet y bishyn, ac Alis Griffiths, a ddôi hefo Mam a minnau i bob 'steddfod, Rita a Dennis, Glyn Tŷ Hen a'r teulu . . . a heb anghofio Mrs Jôs drws nesa' yr ochr arall a Bobi'r mab.

Roedd Mrs Jôs yn dioddef yn o arw hefo'i chefn a galwai acw byth a beunydd er mwyn i Mam rwbio 'Vic' ar y man gwan. Roedd ogla 'Vic' ar Mrs Jôs drwy'r flwyddyn. Un diwrnod daeth acw dan sgrechian, 'Ma 'na eryr wedi dŵad i mewn i'r tŷ.' Rhedais yno oherwydd doeddwn i 'rioed wedi gweld eryr. Tylluan oedd hi, un fawr frown, ond sut a pham y daeth hi i mewn i'r tŷ, dyn a ŵyr. Hefo gefail dân llwyddais i'w chael o'r ffenest, lle roedd hi'n sownd yn yr 'hangings' a chefais swllt gan Mrs Jôs am achub ei bywyd — bywyd Mrs Jôs.

Gweithio ar y lein roedd Bobi er iddo fod yn 'loesi' yn y chwarel rhyw dro. Fe'i bendithiwyd â llais tenor digon clws ond braidd yn anwadal, ac fe'i perswadiwyd gan rai o'r hogia i drio'r unawd tenor yn 'Steddfod Mynydd Llandygài un tro. Mae'n debyg iddyn nhw gael gair hefo Peleg Williams ymlaen llaw (neu felly y dywedodd 'Nhad) a dyma Peleg yn ymuno yn y tynnu coes. Cafodd Bobi feirniadaeth ysgubol ganddo, un a wnâi degwch â Gigli, ond y drydedd wobr a gafodd o! Sorrodd yn bwt a chanodd o 'rioed yn gyhoeddus wedyn. Wel, nid mewn 'steddfod.

Ambell nos Wener neu nos Sadwrn galwai acw ar ei ffordd adref ac weithiau rhoddai rendring o 'Arafa Don' hefo tafod ryw fymryn yn dew. Ofn deffro'i fam oedd o, siŵr o fod, ac felly'n dod i'n tŷ ni i ganu!

Cadwai Bob ryw ddau ddwsin o ddefaid yn y Parc a phrynodd gi er mwyn bod yn fugail go iawn. Yn anffodus, mwngrel hefo cnegwerth o waed y brîd addas oedd hwnnw, ac nid 'didol diadell' a wnâi Toss ond ei chwalu hi i bob cyfeiriad. Degau o weithiau y bu George Ty'n Llidiart a minnau'n g'lana' chwerthin yng ngwaelod y Parc wrth weld Bobi'n rhedeg ar ôl y defaid a Toss wedi rhedeg i eistedd hefo ni i sbio arno fo. Ar ôl dod i'w nôl, mwytho'r ci a wnâi Bobi, a dweud wrth George a minnau cymaint chwip o gi oedd o. Doedd dim owns o gasineb yn Bobi.

Mae llu o hen wynebau'n chwyrlïo heibio camera'r co' rŵan . . . atgofion yn byrlymu fel afon bach Chwarelgoch ar ôl diwrnodiau o law . . . pob cydnabod â rhyw ystum, rhyw gerddediad, rhyw edrychiad neu oslef a'u gwnâi'n wahanol i bawb arall.

Yn ystod y blynyddoedd daeth y gwahaniaethau bach yn handi iawn i actor a chwiliai am y gwahaniaethau bach i greu cymeriad.

Ediwceshion

Mae Musus Jôs y Taprwydd
Yn ddynas bach reit glên,
Yn byw yng Nghapal Cerrig
A 'rioed di gwelad trên.
Pe cawn i fenthyg mwthwl
Ac engan Dic Huws go'
Mi wnawn i drên bach iddi
I fynd â hi am dro.
Mi awn â hi drwy Lundan,
Mi awn â hi drwy Gaer,
I ddangos rhyfeddodau
Pentrefydd i'r hen chwaer.

Wn i ddim pryd y dysgais i'r pennill yna ond clywais
'Nhad yn ei ddweud o ddegau o weithiau a minnau'n
cofio mymryn bach mwy bob tro decini. Byddwn wrth
fy modd yn dysgu penillion ar fy nghof ac wedyn gwneud
rhai fy hun ar yr un patrwm. Hoffwn wybod a oes rhywun
arall yn rhywle sy'n cofio yr un penillion. Dydw i ddim
wedi cyfarfod neb hyd yma.

O ddrws y dref i Uffern drist
Y dragiwyd Twm Huws Drygist,
Ac yn y gwres mae'n cyfri'i bres,
Y cythral melltigedig.

Medrai Yncl Huw a 'Nhad eu rhaffu nhw, eu dweud nhw naill ar ôl y llall, a 'Nhad wrth ei fodd fod ganddo, am unwaith, gystal cof â'i frawd mawr.

> *Ymhen dwy flynadd eto*
> *Bydd yma newydd le,*
> *Bydd llongau'n dod i Rachub*
> *A Chaellwyngrydd yn dre,*
> *Ac efail William Morgan*
> *Yn junction helaeth iawn*
> *A Pharc y Moch yn borthladd*
> *I longau Prydain Fawr,*
> *A Phenygroes yn ddinas,*
> *A Phant yr Ardd yn Blas,*
> *A gweithdy George yn golej*
> *I hogia'r dre a'r wlad.*
> *Os ewch i Benna'r Bronnydd*
> *A throiwch ar y chwith*
> *Cewch weled Elen Ellis*
> *Yn gwneuthur bara brith;*
> *Os ewch chi dipyn pellach*
> *A throiwch ar y dde*
> *Cewch weled William Halan*
> *Yn tynnu pwl-a-wê.*

Dysgais eiriau 'Defaid William Morgan' yn gynnar iawn ac, am ryw reswm, 'Breuddwyd y Frenhines'! A dysgu *Y* pennill:

> *Mae'r Mauritania'n fawr,*
> *Mae'r Lusitania'n fwy,*
> *Ond mae tin Meri Ifans*
> *Yn fwy na'r ddwy.*

Roedd rhaid i 'Nhad fod mewn hwyliau da i adrodd hwn'na ac fe'm hystyriwn fy hun yn 'hogyn mawr' o gael y fraint o'i glywed.

Dywedais eisoes fod Mam a 'Nhad wedi bod yn cadw 'siop chips' ond roedd hynny ymhell cyn i mi gyrraedd Sling. Yn Ffordd Hermon, Mynydd Llandygài yr oedd y siop ac fe wnaed pennill i groniclo'r ffaith:

> Hughes sy'n galw. Be' sy'n bod?
> 'Fish a chips' yn Hermon Road;
> Pwy yw Hughes ond Harri Rhes,
> Dowch yno i gyd, cewch werth eich pres.

Yn aml, fel rhagarweiniad neu fel clo, ceid stori ynghlwm wrth bennill. Llawer gwaith y clywais 'Nhad yn dweud stori'r 'seidar'. Pan oedd yn y siop chips ar nos Sadwrn arferai un o hogia Tŷ Cerrig alw heibio i gael rhywbeth yn ei fol cyn mynd i'w wely ar ôl bod yn nhai potas Bethesda. Dywedai 'run peth bob nos Sadwrn wrth ddod at y cownter:

'Fish, chips, pys, a photal o Cydrax, Harri.'

Estynnai 'Nhad y botel Cydrax iddo, yntau'n gafael ynddi a sbio ar y label a'r geiriau 'Cider's Little Sister' arno, ac yn ddi-ffael byddai'n dweud,

'Tydi hi ddim yn gneithar iddo fo, myn diawl.'

Mae stori dda yn ddigri dim ots faint o weithiau y clywch hi. Ac fe'u clywais nhw sawl gwaith . . .

. . . am y ddau frawd o Dregarth amser y rhyfel. Un yn gwrando ar y weiarles a'r llall wedi mynd i'w wely gan ddweud nad oedd Hitler na chythra'l o neb arall yn mynd i'w gadw fo ar ei draed. Y llall yn gwrando'n astud a chlywed y geiriau 'Hitler and Mussolini are meeting half way.' Rŵan, mae pont hanner ffordd rhwng Bangor a

Bethesda a chwta hanner milltir o Dregarth a'i henw ydi 'Half-Way'. Yn naturiol, bu cynhyrfu mawr! Gwelwyd dau frawd — un yn ei byjamas — yn rhuthro ar hyd Ffordd Tanrhiw, yn rhybuddio pobl fod Hitler yn dod . . .

. . . a rhyw Dafydd Jôs wedi gwneud twll yn yr ardd er mwyn cael gwagio pwced y 'closet', a'i gi mawr gwirion yn ei wthio yn ei gefn ar ei ben i mewn i'r bwced . . .

. . . am Gwilym Blackbird, a oedd yn gonsuriwr amatur, a hogia'r cwt yn y chwarel yn perswadio William Francis, neu Condobondo fel y'i gelwid gan bawb, ei fod yn edrych yn giami. Dyma'i roi i orwedd ar y fainc yn y cwt amser paned a thynnu rhesi o bethau o'i fol, yn glytiau oel, powltiau wagen, bôlberins, a rhaff o sosejis smal wedi'u benthyg at yr achlysur o siop Parri Bwtsiar. Condo'n dweud wedyn yn gwbl ddifrifol ei fod o'n teimlo'n well o'r hanner . . .

. . . a gwraig Condo'n dod i nôl ei gyflog o i'r Offis Fawr oherwydd na fedrai'r hen William Francis druan ddim dweud y gwahaniaeth rhwng punt a phowltan . . .

. . . am yr arferiad o ddwyn/ffeirio giatiau nos Calan, ond meddwl fod hynny'n rhy ddiniwed a phenderfynu symud mul Moi Shwsh y becar o'i stabl yn Graig Pandy a'i roi o yn stabl ceffyl Tŷ Cerrig yn Mynydd Llandygài, a mynd â'r ceffyl i stabl y mul . . .

. . . am Yncl Huw yn gadael yr ysgol yn bedair ar ddeg ac ar ei ddiwrnod olaf yn aros am y prifathro wrth Troiad Mawr. Dyma fo'n dod ar ei feic ac Yncl Huw â thorchen fawr yn ei law yn barod. Roedd ei annel yn gywir ac fe'i cafodd y prifathro hi ar ochr ei glust nes roedd o a'i feic yn un twmpath yn y clawdd drain . . .

. . . am rywun yn dweud y medrai fentro rhoi twll clust

i Yncl Huw bob tro y gwelai o, oherwydd, un ai roedd o wedi bod yn gwneud drygau neu roedd o ar ei ffordd i'w gwneud nhw . . .

. . . am Yncl Bob ac Anti Annie wedi mynd i gysgu o bobtu'r tân ar ôl cinio dydd Sul ac Eirwyn y mab yn cael gafael ar dun o baent coch a phaentio'r ffenest o'r tu allan. Hwythau'n deffro 'mhen sbel a meddwl ei bod hi'n nos. Roedd Eirwyn hefyd wedi paentio'r ci yn goch . . .

. . . am . . . am . . . am . . . gwersi hanes bro.

Ond yn yr ysgol . . .

Rhyw hanner milltir i fyny'r ffordd o'r pentref y mae Ysgol Bodfeurig, a go brin fod ysgol yng Nghymru hefo golygfa harddach drwy'i ffenestri. Panorama ryfeddol o'r mynyddoedd i'r môr . . . trosodd am Ynys Seiriol a Sir Fôn. Ar ddiwrnod arbennig o glir gellir gweld mynyddoedd Wicklow yn Iwerddon. Na, nid rhamantu mo hyn'na. Pan oeddem yn ffilmio ar gyfer y gyfres ar y chwareli, 'Hogi Arfau', gwelodd y criw drostynt eu hunain. Mae gwers ddaearyddiaeth i'w chael dim ond wrth edrych drwy'r ffenestri.

Roeddwn i yn fy mlwyddyn olaf-ond-un o'm dyddiau elfennol pan agorwyd yr ysgol newydd ac felly i'r hen ysgol wrth gysgod Y Graig Lwyd y bûm i'n mynd fwyaf. I honno yr oedd 'Nhad wedi mynd, a phrifathro yn honno oedd yr un a gafodd y dorchen gan Yncl Huw.

Roedd safle'r hen ysgol yn nefoedd i hogyn yn hoffi chwarae. Coed a chraig i'w dringo a digon o le i redeg. Yn llifo o dan yr ysgol yr oedd afon fechan — trwy dwnnel o lechi — a chafwyd taith antur un tro trwy'r twnnel. Pump ohonon ni a fentrodd. Roedden ni wedi dod â chanhwyllau ar gyfer y fenter. Y fi oedd y trydydd i mewn — yn y canol felly — ac fel yr oedden ni'n nesu at yr ochr bellaf roedd to'r twnnel yn dod yn is ac yn is. Roedd y mop cyrliog trwchus ar fy mhen yn cyffwrdd y to. Teimlwn rywbeth yn fy ngwallt . . . yn cosi . . . yn symud! Fedrwn i wneud dim, ond pan ddigwyddodd fflam y

41

gannwyll daflu golau ar y to bu'n agos i mi lewygu yn y fan. Roedd cannoedd o bryfed cop dros do'r twnnel i gyd. A llond fy ngwallt innau.

Roedd bagio'n ôl i geg y twnnel yn waith araf. Pan ddois allan i'r awyr iach roedd y pryfed cop ar hyd fy nghorff ymhobman. Byth ers hynny, mae'n gas gen i bryfed cop — yr unig bethau byw dwi'n eu casàu hyd y gwn i. Ychydig flynyddoedd ar ôl hyn, ar wyliau, gwelais mewn sŵ gaets gwydr ac ynddo bry cop anferthol, un o'r rheiny sy'n bwyta adar. Homar o beth a thestun hunllef os bu un erioed.

Yn ddiweddar cynigiodd Huw John Hughes, cydoeswr â mi yn yr ysgol, sydd bellach â gofal dros y Pili Palas ym Môn, estyn y 'Mexican Red-Kneed Tarantula' o'i focs er mwyn i mi afael ynddo a chael gwared o'm ffobia. Gwrthod y cynnig a wnes i. Gafael yn y peithon, iawn, ond y tarantiwla, nefar.

Roedd gŵr a gwraig yn dysgu yn Ysgol Bodfeurig pan es i yno, sef Huw ac Anita Roberts. Huw Roberts oedd y prifathro. Dwi'n cofio fawr ddim amdano dim ond ei fod wedi torri gwn ciaps o'm heiddo yn ei hanner. Byddai Anita Roberts yn dysgu canu inni ac yn canu hefo ni nes ein boddi ni i gyd. Miss Jones oedd yr athrawes yn y dosbarthiadau lleiaf. Gwlychai flaen y sialc yn ei cheg bob amser cyn sgwennu ar y bwrdd du. Rhag iddo fo wichian, debyg. A Miss Davies, a fyddai'n ofnadwy o flin ac ofnadwy o glên bob yn ail.

Mae gen i graith uwchben fy llygad dde o'r dyddiau yn yr hen ysgol. Chwarae rownders yn yr iard ac yn disgwyl fy nhwrn i fatio. Bat hôm-mêd oedd o, hefo onglau sgwâr. Roeddwn i'n sefyll reit tu ôl i Ken Bach

Rwbal — rhy agos er lles fy iechyd — a phan gymerodd hwnnw homar o swing i daro'r bêl daeth fy llygad a'r gongl finiog i wrthdrawiad hegar. Roedd o'n archoll dwfn, a mawr fu'r wylofain ond does dim fel cael eich anafu ar faes y gad i'ch gwneud yn arwr ymysg y sowldiwrs. Dwi'n cofio fy mod i wedi gorfod dal cadach ar fy llygad am oriau a mynd i'r tŷ bach bob hyn a hyn i olchi'r gwaed oddi ar fy wyneb. Doedd dim sôn am ruthro yng nghar y prifathro i'r ysbyty i gael pwythau yr adeg honno. Na ffonio'r rhieni. Na sôn am y ddamwain wrth y llywodraethwyr. Na chynnal ymchwiliad i wneuthuriad y bat!

Ces godwm wrth ddringo'r Graig Lwyd hefyd ac wedyn cael cansen ar draws fy llaw am fy mod i wedi'i dringo hi.

Un llun sy'n aros yn y cof ydi rhes o gotiau glaw gabardîn yn stemio wrth sychu o flaen tanllwyth o dân ar ddiwrnod glawog. Doedd yr un ohonon ni'n byw yn agos at yr ysgol a phawb yn gorfod cerdded ymhob tywydd.

Mi ges brifathro newydd yn fy mlynyddoedd olaf, sef Dafydd Ellis Jones, un o'r dynion nobliaf i mi eu cyfarfod erioed. Awdurdod addfwyn â gwên gynnes. Roedd hi'n bleser bod yn ei ddosbarth.

Ar brynhawn dydd Mawrth caem wrando ar raglenni radio i ysgolion — dramâu bach ar Hanes Cymru. Ar ddydd Iau gwrando 'Ar Grwydr yng Nghymru'. Roedd cyn lleied o Gymraeg ar y radio yr adeg honno fel ein bod yn edrych ymlaen yn eiddgar at glywed y rhaglenni ac yn gwrando'n astud iawn arnynt.

Yn yr ysgol newydd roedd y radio yn 'stafell y prifathro

a byddai'n rhaid cario 'speaker' anferth i'w blwgio yn wal y 'stafell ddosbarth er mwyn i ni gael clywed.

Ychydig a feddyliais wrth wrando y byddwn ryw ddiwrnod yn cymryd rhan mewn rhaglenni felly fy hunan. Beth bynnag, ar ddiwedd y rhaglen gofynnai Mr Jones i ni sgwennu'r stori yn ein geiriau ein hunain. Os oedd y traethawd yn un da caech wahoddiad i sefyll o flaen y dosbarth i'w ddarllen yn uchel. Mawr fyddai'r gystadleuaeth i gael gwneud hynny.

'Mae isio mwynhau sgrifennu' oedd ei eiriau o hyd ac o hyd ac maent wedi aros hefo mi byth.

Rhywbeth arall sydd wedi aros hefo mi hyd heddiw trwy ddylanwad Dafydd Ellis Jones ydi fy hoffter o griced. Roedd o wedi chwarae i Hampshire pan oedd yn ifanc ac weithiau fe wisgai ei jympar sirol i roi gwersi inni ar y stribyn tar-mac o flaen yr ysgol. Nid rhyw wersi gwirion, dalltwch, ond y 'finer points'.

Y digwyddiad mawr ar ddiwedd pob tymor haf oedd y gystadleuaeth griced. 'Mr Jones' yn erbyn 'Ni'! A hynny am bres! Y fo'n batio a ninnau i gyd yn cael pelawd yr un. Y dasg oedd ei gael allan. Yr arian i gyd am ei fowlio; rhannu os oedd daliad. Codai'r arian o ddydd i ddydd, o swllt ar ddydd Llun hyd at chweugain ar ddydd Gwener. Enillodd neb y chweugain ond cafodd Vernon Allen a minnau rannu pum swllt ar y Dydd Iau. Y fi oedd yn bowlio ac mi darodd Mr Jones goblyn o ergyd. Roedd Vernon yn sefyll rywle tua 'mid-wicket' hefo'i ddwylo yn ei bocedi pan lojiodd y bêl fel bwled dan ei gesail! Buasai tîm criced Lloegr yn falch o gael dau neu dri 'run fath â Vernon.

O Fynydd Llandygài yr oedd y rhan fwyaf o'r plant yn

dod. Dim ond George Ty'n Llidiart, Ogwena, merch Glyn Roberts Tŷ Hen, a minnau, a gerddai o Sling. Am gyfnod byr yr oedd pedwar ohonom — daeth merch o Almaenes i fyw yn Fronheulog. Imelda Wenzel oedd ei henw, a del oedd hi hefyd. Ond Mai Lloyd oedd fy nghariad i am flynyddoedd. Ddaeth hi ddim i'r ysgol fawr oherwydd i'w rhieni symud o'r ardal. Welais i mohoni wedyn hyd yn ddiweddar iawn pan ddaeth ataf mewn siop yn Llandudno. Dwi'n cofio rhoi rhuban gwallt iddi yn anrheg ben-blwydd!

Yn yr ysgol heddiw mae 'na lun o'r tri dosbarth uchaf ar ddiwrnod ei hagor. Dim ond chwech ar hugain o blant mewn tri dosbarth. Roedd Guto ni mewn *un* dosbarth o ddeugain a thri yn Ysgol y Garnedd! Ai'r tad ynteu'r mab a gafodd y siawns orau tybed?

Gwilym Edwin — a edrychai'n bymtheg yn ddeg oed — Donald, sy'n ennill rasys i redwyr dros hanner cant ledled y Gogledd — T.P. — Arthur a Meirion Lewis — Arfon Pen Bonc — Al Dêfs — Marion a Sheila (dwy bishyn, ac yn dal i fod!) — Cledwyn, brawd Marion — Jean, Diane, Eirwen, Ogwena, Helena Johnston — Vic Bach (gwelais Vic ym Mharc Goodison yn ddiweddar) —Huw Bach Rynys — Eirian a Billy Snape — Gareth Oliver (brawd hynaf Maud, yr enwog, annwyl Maud ar Dalwrn y Beirdd) — a Gwyndaf Jôs. Roedd Anti May, mam Gwyndaf, yn ffrindiau mawr hefo Mam a threuliais sawl diwrnod pleserus yn y Gefnan, cartref Gwyndaf.

Does dim rhaid i mi 'chwilio am y lle oedd yn y llun', chwedl R. Williams Parry ond efallai bod y lle yn chwilio amdana i'n bur aml.

Ond hefo George y byddwn i Sul, Gŵyl a Gwaith.

Roedden ni'n bennaf ffrindiau, ac yn dal i fod felly er bod ein llwybrau wedi gwahanu cryn dipyn ers y dyddiau hynny, ond mae o a'i deulu yn dal i fyw o fewn hanner milltir i mi heddiw.

Chwarae cowbois yn Parc, chwarae 'siot am gôl' yn Cae Hetar. Dwyn 'falau, dwyn eirin. Cofio fel y bydden ni ill dau yn dod â'r Gorllewin Gwyllt i Sling. Ieir Elin Llety oedd y 'desperadoes' a ninnau'n rowndio'r lot a mynd â nhw i 'Boot Hill'. (Elin, os wyt ti'n darllen hyn o eiriau, ar George a minnau roedd y bai fod y 'White Leghorns' yn rhai sâl am ddodwy.)

Dal gena-goeg a phenbyliaid yn Parc Llety a dod â nhw i slopston ddŵr Ty'n Llidiart er mwyn eu gweld nhw'n tyfu, a mam George yn methu dallt pam roedd cymaint o lyffantod yn neidio o gwmpas y lle. Roedden ni'n 'nabod adar a blodau'r ardal a dwi ddim yn amau nad oedden nhw yn ein 'nabod ninnau. 'Nabod pob modfedd o'n milltir sgwâr, a dim digon o oriau mewn diwrnod i fwynhau a blasu pob dim i'w eithaf. Sôn am fwynhau bywyd, hogia bach.

Roedd gan George ewyrth, brawd ei fam, Yncl Wil. Dyna oeddwn i'n ei alw hefyd a dyna dwi'n ei alw hyd heddiw, a Maureen a'r hogia. Dyn bocs signal yn y Fali, Ynys Môn oedd o ac felly mewn swydd bwysig iawn yn fy ngolwg i. Pan ddois i'n ddigon hen i reidio beic mor bell â Chaergybi cawn ymweld â'r bocs. Mae'n hael a pharod ei gymwynas hyd y dydd heddiw ac yn treulio oriau yn ymweld â phobl yn yr ysbytai a bydd yn galw acw ar ei ffordd bob hyn a hyn. Iechyd da, Yncl Wil.

Saer yn y byd go iawn ydi George rŵan. Tra bûm i'n sgwennu hyn o eiriau bu George acw'n gosod silffoedd llyfrau, ac mae 'na hen siarad a rhamantu wedi bod. Cofio 'run pethau yn ogystal â chofio pethau gwahanol. Mae'r ddau ohonon ni bellach wedi cyrraedd yr oed hwnnw sy'n golygu ein bod yn troi'n gyntaf oll i dudalen y 'Births, Marriages and Deaths' yn y *Daily Post*. Ac fel petai'n byd ni ddim digon mawr pan oedden ni'n blant fe wnaethon ni dwll yn 'Rardd Bach' Ty'n Llidiart i weld a allen ni fynd trwodd i 'New Zealand'. O leiaf, doedden ni ddim yn meddwl bod y byd yn fflat! Wedi tyllu rhyw ddwy droedfedd dyma ffeindio gweddillion potyn pridd a meddwl mai corn simdde tŷ 'Down Under' oedd o. Peth braf ydi diniweidrwydd.

Does arna i ddim eisiau swnio fel hen gant ond, ambell dro, fe fydda i'n pitïo plant heddiw. Fel y dywedodd Gerallt Lloyd Owen,

> *Heddiw nid oes ryfeddod yn y gwrych*
> *Na gwrach yn y cysgod;*
> *Heb un dirgelwch yn bod*
> *Nintendo yw plentyndod.*

Roeddwn i'n meddwl bod Bethesda'n fawr, a Bangor, wel, yn anferthol. Mae plant heddiw'n meddwl bod y byd yn fychan.

Y Byd Mawr ac Ymlaen

I mi, geiriau Cymraeg oedd 'Lebor' a 'Byjet' pan oeddwn i'n blentyn. Dwi ddim yn amau nad 'Byjet' oedd y cyntaf i mi'i ddysgu. Wyddwn i ddim beth oedd ei ystyr ond mae'n rhaid ei fod yn bwysig iawn, iawn oherwydd fe wnaeth i 'Nhad stopio smocio. Arferai smocio tua thrigain y dydd nes oeddwn i tua phump oed. Taniai un ar ôl y llall ond rhyw ddiwrnod daeth y 'byjet' 'ma a smociodd o byth wedyn. Yn ôl pob tebyg dywedodd y buasai'n rhoi'r gorau iddi petai sigarets yn codi'n eu pris yng nghyllideb y flwyddyn honno (1949 neu 1950). Fe wnaethon ac fe wnaeth.

Y peth cyntaf a wnaeth hefo'r arian a gynilodd oedd prynu treisicl i mi a'r peth cyntaf a wnes i hefo'r treisicl oedd mynd i lawr Allt Ty'n Llidiart ac ar fy mhen i'r wal yn y gwaelod. Roedd yr olwyn a'r fforch flaen wedi plygu fel banana a mawr fu edliw'r aberth y tu ôl i bryniant y beic.

Llawer gwaith yn yr wythnosau cythreulig hynny wedi'r 'byjet' bu Mam yn erfyn ar 'Nhad i ddechrau mygu eto os golygai hynny y byddai fymryn bach yn haws byw hefo fo. Ond dal at ei benderfyniad a wnaeth. Byddai'n cnoi lics bôl caled pan ddôi'r awydd am smôc. Ei dorri hefo cyllell boced a charn 'lamb's foot' iddi.

Doedd 'Nhad ddim yn yfwr. Bu'n llymeitian pan oedd yn ifanc ond rhoddodd y gorau i hynny hefyd yr un mor ddisymwth â'r sigarets, yn ôl Mam. Ond nid y 'byjet' a roddodd y farwol i'r ddiod.

Un nos Sadwrn, toc ar ôl iddynt briodi, daeth adref ar ôl bod ym Methesda. Roedd wedi cerdded y pedair milltir adref . . . wel, wedi syrthio lot a cherdded tipyn. Gwisgai siwt newydd a phan gyrhaeddodd ben y daith doedd fawr o drowsus y siwt ar ôl. Y bore wedyn, wedi gweld yr alanas, dywedodd 'nefar agen'. A dyna fu hi.

Flynyddoedd wedyn, pan oeddwn i'n bedair ar bymtheg, a Mam yn yr ysbyty, oedd y tro cyntaf i mi weld gwydr diod gadarn yn ei law — ar wahân i wydraid o stowt at y galon yn y tŷ a phur anaml oedd hynny. Dyn 'Dandelion and Burdock' fu 'Nhad ar ôl rhwygo'i siwt.

Wedi cael pas gan Griff, gŵr Blodwen i Ysbyty Bryn Seiont i weld Mam roedden ni. A hithau'n bnawn bendigedig o haf poeth meddyliodd 'Nhad wrth basio Tafarn y Gors Bach yr hoffai brynu diod i Griff i dalu am y gymwynas. I mewn â ni i'r hen dafarn braf honno. Ordrodd 'Nhad beint i Griff a hanner o shandi iddo'i hun cyn troi ata i. Mentrais i'r dwfn a gofyn am beint. Edrychodd arna i am eiliad fel petai'n gwneud sym faint oedd fy oed i cyn ordro. Pan ddaeth y peint mewn gwydr handlen gafaelais ynddo fel yr arferwn wneud — fy llaw drwy'r handlen ac yn anwesu'r gwydr. Sylwodd 'Nhad ar hynny a dweud, 'Cym di bwyll efo hwn'na rŵan,' a Griff yn chwerthin. Dyna'r unig beint ges i hefo fo 'rioed.

Am y gair arall — 'Lebor' — dois i wybod yn gynnar iawn bod hwnnw'n air pwysig hefyd. Roedd a wnelo fo rywbeth â'r *Daily Herald* a 'chwaral' ac 'Undab' aballu. I mi, geiriau eraill am 'Labor' oedd y rheiny. Clywais 'Nhad, Yncl Huw a dynion eraill a alwai yn tŷ ni yn sôn am y 'Lebor' 'ma. Roedd o'n beth da iawn beth bynnag oedd, yn ôl eu siarad. Dwi'n cofio gwrando arnyn nhw'n sôn un tro am ryw ddyn ofnadwy o'r enw 'Toridiawl' yn y chwarel. Wyddwn i ddim beth oedd y dyn hwnnw wedi'i wneud ond roeddwn i'n siŵr mai i'r tân poeth yr âi. Erbyn hyn dwi'n gwybod beth ydi 'Toridiawl', ac yn cytuno'n llwyr hefo nhw!

Ond ar ôl dechrau meddwl drosof fy hun dechreuais amau'r 'Lebor' yr oedden nhw mor ffyddlon iddo. Pan ddois i oed ac argyhoeddiad a chanfasio dros Blaid Cymru rhaid i mi ddweud na chefais erioed unrhyw sen ar stepan drws yr un 'Toridiawl' ond ces ddigon o gasineb gan 'Lebor'. Doedd 'Nhad, Yncl Huw na'u ffrindiau'n poeni dim am ddyfodol y Gymraeg. Cofiwch chi, roedden nhw'n ei siarad hi'n well na llawer cenedlaetholwr heddiw ond Saesneg oedd yn bwysig os oeddech chi am lwyddo a mynd ymhellach na Phenmaen-mawr. Y tebyg ydi y caiff y Gymraeg fwy gan 'Doridiawl' na chan unrhyw Lywodraeth Lafur ond er hynny fedra i byth ddymuno i Dorïaid ennill etholiad o fath yn y byd.

Daeth Saesneg i'm bywyd yn gynnar gan fod Tom fy mrawd wedi priodi Saesnes o deulu amaethyddol yng nghanolbarth gwledig Lloegr. Roedd pawb yn siarad Saesneg pan ddôi Joan acw. Nid y hi oedd yn dweud hynny ond yr hen arferiad a chred Gymreig nad oedd o 'ddim yn beth neis' siarad iaith ddiarth o flaen pobl nad oedd ddim yn ei deall.

Wedi gadael cartref yn ddwy ar bymtheg i fynd yn brentis trydanwr tua Wrecsam aeth Tom yn ei flaen i dref fechan o'r enw Uttoxeter yn Swydd Stafford ac, yn y pen draw, i ddechrau busnes trydanwr ei hun a hynny'n llwyddiannus iawn. Un o bentref Bramshall oedd Joan. Fawr mwy o le na Sling, ond mor wahanol. I Uttoxeter y byddwn i'n mynd ar fy ngwyliau haf — wythnos o'r pythefnos chwarel.

Hefo trên yr aem a theg dweud mai'r siwrnai yno ac yn ôl ar y trên a roddai'r mwynhad mwyaf i mi. Roeddwn i'n hel rhifau trên ac yn aelod o'r 'Ian Allan Loco-Spotters Club'. Doedd fawr o ots gen i faint a fyddai'r arhosiad yn Crewe oherwydd bod degau o rifau i'w cael. Byddwn hefyd yn mynd ar fy mhen fy hun i stesion Uttoxeter a oedd ar y lein i Derby a Stafford ac felly yn un hynod o brysur. Arhoswn yno am oriau.

Peidiwch â chamddeall. Nid nad oeddwn i'n cael croeso yno gan Tom a Joan, a theulu Joan. Fe gawn ddigon o hynny, ond bod y lle, yr iaith a'r cefndir mor ddiarth i mi. Un uchafbwynt arall oedd trip i sŵ Dudley. Yno y gwelais i'r pry cop anferth hwnnw a gadarnhaodd fy ofnau am y creaduriaid sy'n dal i'm poeni hyd heddiw.

Pan fyddai teulu Uttoxeter yn dod acw yn yr haf, bron yn ddieithriad doent â theulu o berthnasau neu ffrindiau hefo nhw — Edith a Daisy, chwiorydd Joan, a'u gwŷr, ac Ivor a Monica Leeson, ffermwyr cefnog o ffrindiau. Roedd gan Ivor gar Buick, a oedd yn rhy fawr i'w barcio yn stryd ni a byddai'n gorfod gadael y car o flaen y capel. Byddwn wrth fy modd yn cael pas yn hwnnw.

Byddwn hefyd — ac efallai mai dyma sail unrhyw ragfarn sydd gen i — yn gorfod rhoi benthyg fy llofft a mynd i gysgu i dŷ Meirion Nymbar Ffôr. Digwyddodd anffawd o embaras mawr yno un tro. Roeddwn wedi bod yn helpu hefo'r gwair yn ffarm Bodfeurig (roeddwn wrth fy modd yn gwneud hynny, yn enwedig pan gawn reid ar ben y llwyth ar y ffordd yn ôl o'r cae) ac wedi yfed peintiau o laeth enwyn yn ystod y dydd. Wn i ddim am beth y breuddwydiais ond cefais ollyngdod mawr. Roedd y gwely wedi'i socian i'r fatres. Yn naturiol, a minnau'n ddeg oed, bu'r tynnu coes yn ddidrugaredd.

Yn ystod yr ugain mlynedd diwethaf 'ma ychydig iawn dwi wedi'i weld ar Tom na'i deulu. Anfonaf gerdyn bob Nadolig ond chefais i 'run yn ôl ers rhai blynyddoedd bellach. Fu dim ffraeo, dim ond ymbellhau ar ôl i 'Nhad farw. Doedd dim teimlad brawdol rhyngon ni erioed. A dweud y gwir, prin ein bod ni'n 'nabod ein gilydd. Nid ei fai o na minnau oedd hynny.

Prilyms

Er mai 'rhagbrofion' oedd ar raglenni swyddogol pob eisteddfod, fel 'prilyms' y byddai pawb yn cyfeirio atynt ers talwm. Y capel a 'steddfodau lleol fu'r 'prilyms' i'r yrfa sy'n peri fy mod i'n sgwennu hyn o eiriau. Wel, y nhw oedd y pri-prilyms o leiaf.

Y cyngerdd plant yng Ngorphwysfa a Chymanfa'r Gylchdaith Wesleaidd oedd y man cychwyn. Roedd gen i lais canu digon swynol yr adeg honno, ac er nad oeddwn i ddim yn Aled Jones o bell ffordd, daeth sawl gwobr leol i'm hafflau. Katie May (Jeffries erbyn hyn) a'm dysgai. Pishyn wallt melyn oedd Katie May ac roedd llais bendigedig ganddi. Byddai hi ac Eirwen Pant Cyff (pishyn wallt du) yn ennill ar ddeuawdau ymhobman. Bu Eirwen yn gweithio i Ffilmiau Eryri hyd ei hymddeoliad yn ddiweddar iawn. Dwi'n amau mai mynd yno i edrych ar y ddwy ddel y byddai'r dynion yn y gynulleidfa ymhob 'steddfod.

Fu dim pwysau arna i erioed i adrodd na chanu a'r gwir amdani oedd fy mod wrth fy modd o flaen cynulleidfa. Doeddwn i ddim yn hoffi ymarfer ond yn mwynhau'r perfformiad. Dysgwn bethau'n ddigon didrafferth ac mae'r cof yn dal yn ddibynadwy o hyd.

Yn nhymor yr eisteddfodau byddai Mam a minnau'n crwydro i Fethesda ('steddfod fawr), a phentrefydd Mynydd Llandygài, Glasinfryn, Pentir, Rhiwlas, Llanfairfechan, Moel Tryfan, Groeslon, ac weithiau yn mentro cyn belled â Sir Fôn hyd yn oed! Pur anaml y down adref heb ennill ychydig o bres poced, yn enwedig os byddai Llwyd o'r Bryn yn beirniadu. Fel 'yr hogyn bach gwallt cyrliog o Sling' y cyfeiriai ataf. Roedd rhyw rin rhyfeddol i mi yn y 'cyrliog' fel y byddai o'n ei ddweud o. Fe'i gwelaf o rŵan, yn ei siwt frethyn, y 'sgidiau mawr yn sgleinio, a'r wên fagnetig honno ar ei wyneb. Roedd darlith 'Y Tri Bob' gan Robin Williams yn ffefryn mawr yn tŷ ni. 'Nhad a Mam a minnau wedi gwrando ar y record ohoni ddegau o weithiau. Ches i 'rioed mo'r fraint o gyfarfod y ddau 'Bob' arall, Bob Owen, Croesor, a Bob Roberts, Tai'r Felin, ond roeddwn i'n teimlo fy mod i wedi'u 'nabod nhw trwy ddynwarediadau annwyl Robin Williams.

Unwaith erioed y daeth 'Nhad hefo fi i 'steddfod. Ers pan oeddwn i tua naw oed bu Mam yn bur wael ei hiechyd — nam ar yr arennau — ond byddai'n dal i fynd, dal i wneud, dal i wenu drwy'r cwbl. Ond yr un tro yma fedrai hi ddim hyd yn oed codi o'i gwely. Yng nghapel Bethmacca, Glasinfryn, ger Bangor yr oedd y 'steddfod. Roedd 'Nhad yn flin a diflas hyd yn oed cyn i'r prilyms ddechrau ond mi ges i 'steddfod lwyddiannus iawn — pedair gwobr gyntaf! Dod â rhubanau'r buddugoliaethau adref a'u gosod ar y gwely. Mam wrth ei bodd a 'Nhad y tu ôl i mi'n tyngu na thywyllai o byth 'run 'steddfod wedyn. A wnaeth o ddim. Eto i gyd, byddai'r cyntaf i edrych a oedd fy enw yn y papur ar ôl 'steddfod ac i ddangos y papur hwnnw i bwy bynnag a ddigwyddai alw ond, fel 'steddfodwr ei hun, aeth ar goll yn y 'Bethmacca Triangle'.

Erbyn hyn fedra i ddim dweud fy mod i'n mwynhau'r

cystadlu mewn eisteddfodau. Er fy mod i'n mynychu eisteddfodau'r Urdd a'r Genedlaethol yn ddi-feth dydw i ddim yn un am eistedd oriau yn gwrando ar ganu a llefaru ond mi wnaf wrando ar y radio, yn enwedig yn y car. Oni bai fod gen i ddiddordeb personol mewn ambell gystadleuaeth awn i ddim yn unswydd i neuadd neu bafiliwn eisteddfod. Mae hynny'n wir am lawer o bobl decini.

Ar un cyfnod cawn wahoddiadau i feirniadu adrodd ond ar ôl gwrthod cymaint o weithiau mae pobl wedi stopio gofyn bellach. Dydw i ddim am redeg ar ôl yr hen sgwarnog lwyd 'adrodd a llefaru' honno ond byddai'n dda gen i petaen ni'n sylweddoli nad ydi'r ffaith fod rhywun yn 'adroddwr' da ddim yn golygu y bydd yn actor/actores da. Mae rhai enghreifftiau, mi wn, ond eithriadau prin ydyn nhw. Yn bersonol dwi'n falch i mi roi'r gorau i 'adrodd' flynyddoedd cyn i mi ddechrau actio. Roedd y gor-wneud wedi cael amser i adael fy nweud erbyn hynny!

Ond dwi'n crwydro eto. Tua'r adeg y bûm i'n eisteddfota y dechreuais i gael gwersi chwarae piano. Mae gweld plant yn dod o'r ysgol heddiw hefo pob math o offerynnau yn fy ngwneud yn reit eiddigeddus. Dim ond piano oedd 'na i hogyn mewn pentref heb fand yn perthyn iddo. Gan Bertie Williams yn Nhregarth y byddwn i'n cael gwersi. Mynd ar fy meic o Sling — ar ras wyllt fel arfer — ar hyd y llwybr cul heibio'r Dob ac i fyny am Bengroes. Costiodd y piano bythefnos o gyflog 'Nhad — pymtheg punt.

Wnes i fawr o lewyrch arni ac roedd Bertie'n rhy glên o lawer hefo rhywun fel fi nad oedd byth yn 'practisio'. Fodd bynnag, dois yn ddigon da i gradiwetio i organ y capel. Rhyw organydd tonau un fflat, un siarp, dau fflat, dau siarp ar binsh oeddwn i hyd yn oed ar fy ngorau, a'r 'pregethwr' a'm gorfododd i wynebu hynny oedd rhyw foi o'r enw W. Gwenlyn Parry.

Rŵan, gwyddwn pwy oedd o'n iawn er mai stiwdant yn y Normal oedd o ar y pryd. Roedd ei dad o a 'Nhad yn ddau Wesla ac acw y câi William John Parry de pan fyddai Cymanfa'r Gylchdaith yn capel ni. Pan oeddwn i'n wyth oed daeth Mr Parry â Gwenlyn y mab hefo fo ac fe wnaeth gartŵn gwych o Donald Duck imi ac fe fu gen i am flynyddoedd.

Ond y bore Sul arbennig yma chymerodd Parry ddim sylw o rifau'r emynau ar y bôrd wrth ochr y pulpud. Aeth ymlaen i gyhoeddi'r emyn 'O, Fab y Dyn, Eneiniog Duw, fy Mrawd'. Pedwar fflat a thua phum newid cyweirnod. Doedd gen i ddim siawns. Dyma ddweud wrth Tedi Jaques ac yntau'n chwilio yn y Plan Wesleaidd er mwyn gweld beth oedd enw'r dyn yn y pulpud. Roedd rhaid cael enw. Peth hyll iawn fuasai gweiddi 'Hei'. Fe ffeindiodd yr enw a dweud wrth Gwenlyn, a oedd yn prysur gyrraedd diwedd ei ddarlleniad o'r emyn, bod y rhif ar y bôrd. 'Methu chwara honna wyt ti, ia washi?' meddai Gwenlyn. Minnau'n nodio. Hefo gwên y dois i i'w 'nabod a'i thrysori am flynyddoedd fe gyhoeddodd, 'Rhif yr Emyn. Pedwar cant tri deg a thri. "Yn wastad gyda thi . . ." Y dôn, Bod Alwyn. Un fflat. Roeddwn i'n saff hefo honno.

Faint o blant tybed sydd wedi rhoi athrawon offerynnau drwy uffern am flynyddoedd a dim ond yn medru'r sgêl yn ara' deg yn y diwedd? Niwsans oedd gwersi piano i mi, pethau a ddôi rhwng hogyn a'i ffwtbol a'i ddwyn 'fala.

Y drwg hefo dysgu chwarae piano, neu unrhyw offeryn, mae'n siŵr gen i, ydi bod rhaid wrth waith caled ar bethau hynod o ddiflas fel sgêls ac arpejios cyn ichi fedru chwarae tiwn. A chithau bron â marw eisiau chwarae tiwn yn syth bin. Roedd dysgu geiriau yn dod yn hawdd i mi ond doedd fy mysedd i ddim hanner mor ystwyth â 'nghof. Esgus ydi hwn'na dros beidio â gweithio'n ddigon caled mi wn, ond mae'n siŵr bod rhaid cael mymryn o allu cynhenid ichi fedru gwneud rhyw arlliw o lwyddiant ohoni. Doedd 'na fawr o Semprini ynof fi.

Ces wersi am gyfnod byr gan Miss Phillips ym Mangor pan gafodd Bertie ryw salwch. Dynes dlws iawn oedd Miss Phillips, a minnau'n dechrau cyrraedd rhyw oed drwg. Anodd iawn ydi canolbwyntio weithiau yn yr oed a'r cyflwr hwnnw!

Byddai Bertie yn chwarae'r organ yn Eglwys y Gelli yn Nhregarth a gofynnodd i mi a fuaswn i'n canu yno un noson pan fyddai o'n rhoi 'recital' ar yr organ. Dwi'n cofio hyd heddiw'r ddwy gân — 'Bless This House' a 'Caned y Byd' gan Haydn. Daeth pobl Sling yn un haid hefo ni i Dregarth i roi cefnogaeth ac mae'n debyg i mi ganu'n o lew. Pawb yn cerdded y filltir adref hefo'i gilydd wedyn a nifer yn dod draw acw i gael rhyw rendring arall o'r ddwy gân cyn noswylio. Ond fedrwn i ddim canu nodyn. Rhywle rhwng Eglwys y Gelli a'n tŷ ni roeddwn i wedi dechrau tyfu'n ddyn! Dwi'n cofio i mi deimlo'n reit benysgafn ar ganol allt Bryncocyn ac yn fan'no y digwyddodd o dwi'n siŵr. Dydyn nhw byth wedi gosod y plac ar y wal.

Roedd cyngherddau plant y capeli lleol yn nosweithiau o bwys yn yr ardal. Pob capel yn cefnogi'i gilydd a phawb yn mynd yn griw o un pentref i'r llall. Plant capel Hermon, Mynydd Llandygái yn dod i lawr i Sling a ninnau, yr ychydig oedd ohonon ni, yn cerdded i fyny i'r Mynydd. Felly y byddai hi, a phawb yn mwynhau.

A mwynhau'r 'ddrama' Nadolig. Cyflwynai pob capel ei ddrama Nadolig ei hun. Ychydig iawn o'r dynion a gymerai ran — ychydig iawn. Doedd actio ddim yn beth i ddynion go iawn ei wneud, a'r merched a chwaraeai rannau'r dynion bron bob tro. Un flwyddyn penderfynodd capel ni gyflwyno stori Ruth a Naomi — fel drama Nadolig! Rhywbeth yn Wyddelig iawn yn ein pentref ni mae'n rhaid.

Daeth Mam adref o'r cyfarfod cyntaf a minnau'n gofyn a oedd hi wedi cael 'part' yn y ddrama. Oedd, rhan fechan iawn — un o'r bobl oedd yn 'lloffa yn y maes' — a chanddi un llinell i'w dweud, sef 'Ie, Boas.' A minnau'n dweud nad Boas oedd enw'r dyn yn y stori ond Bonso. 'Ie, Bonso 'dach chi fod i'w ddeud, dwi'n siŵr, Mam.' Hithau'n rowlio chwerthin ac yn fy siarsio i beidio â dweud 'Bonso' eto. Bob tro cyn iddi fynd i'r ymarfer byddwn yn dweud wrthi am fy nghofio at Bonso. Anti Jôs oedd Bonso . . . ym . . . Boas, hefo locsyn gosod a hwnnw ar lastig.

Erbyn y noson fawr agoriadol, y 'World Premiere', yr oeddwn i wedi cael y gwaith o fod yn gofweinydd. Aeth pethau'n reit dda nes daeth golygfa'r lloffa yn y maes. Roedd tipyn o wenith sych wedi ei osod ar y llwyfan bach yn y festri, a rhywsut neu'i gilydd aeth y bwndel o wenith sych yr oedd Anti Jôs/Boas yn ei gario yn sownd yn y locsyn oedd eisoes yn sownd yn y lastig. Wrth geisio'i dynnu heb i'r gynulleidfa sylwi (a phawb wedi gwneud) rhoddodd Anti Jôs blwc go hegar i'r gwenith. Fe strejiodd y lastig a'r locsyn i'w heithaf cyn llamu'n ôl i'w lle ar ên Anti Jôs hefo clec fel un Standard Cannon ddwy a dima.

Roeddwn i yn fy nyblau ers meitin ac fel yr oedd Mam druan, yn domen o nerfau, yn fy mhasio i wneud ei 'grand entrance' dyma fi'n sibrwd 'Bonso' drwy gongl fy ngheg. Roedd y gynulleidfa wedi bod yn dal ei gwynt ers i'r gwenith fynd yn sownd yn y locsyn ond pan ddywedodd Mam, 'Ie, Bonso,' aeth y lle'n horlics. Pawb yn g'lana' . . . Ruth, Naomi, Boas, y lloffwyr i gyd, a'r gynulleidfa. Fedrai neb ddweud gair am funudau. Cyn gynted ag yr oedd rhywun yn cychwyn yr oedd y lle yn un wich fawr wedyn.

Dwi wedi bod yn un drwg am chwerthin erioed a synnwn i damaid nad y noson honno a roddodd gychwyn i'r gwendid. Dydw i ddim yn debyg o wella dim yn fy henaint. Dydi o'n beth rhyfedd mai'r adeg y bydd arnoch chi eisiau chwerthin fwyaf ydi'r adeg pan nad oes wiw i chi wneud hynny.

Er mwyn cynnal y cyngherddau gosodid llwyfan dros dro yn y capel. Noson fawr oedd honno bob tro. Dôi dynion y capel i gario'r treselydd a'r planciau a'r merched yn gosod y papur crêp bob lliwiau o amgylch. Mawr fyddai'r miri. Byddai ambell un yn bodloni ar gario pethau'n ddistaw — halio popeth o'r festri sbâr yn llofft y capel a gwneud y gwaith labro'n ddirwgnach — ond yr oedd, fel arfer, sawl pensaer yn eu plith, pob un â'i gynllun gosod ei hun ac yn ymddwyn fel petaen ni'n adeiladu set ar gyfer ras y 'chariots' yn 'Ben Hur'.

Byddai nerfau'r perfformiwr yn dechrau cosi gwaelod y bol ar y noson honno hefyd. Gwybod, gan fod y stêj wedi'i gosod, bod y perfformiad yn nesáu. Mae hi felly o hyd wrth ymarfer ar gyfer perfformiad llwyfan. Unwaith y gwelwch chi'r set wedi'i hadeiladu yng ngweithdy'r saer ac wedi cerdded arni gwyddoch fod yr awr fawr wrth law.

Dim ots faint o ymarfer a wnaed ar lawr 'stafell, dim ots pa mor gywir ydi'r mesuriadau sy'n cyfateb i faint y set, dim ots faint o weithiau mae rhywun wedi astudio'r model bach cywrain o'r set a wnaed gan y cynllunydd, mae'r tro cyntaf hwnnw o weithio ar y set ei hun yn brofiad cynhyrfus bob amser. Dydi pethau byth cweit yr un fath ag roeddech chi wedi'i ragdybio.

Mae'r cynllunydd a'r saer wedi bod yn rhoi eu stamp ar y lle y byddwch chi'n byw ac yn gweithio ynddo ac mae'r cyfan ym mynd yn fwy o ymdrech tîm.

Ar noson 'gosod y stêj' yn y capel roedd 'na hen ddadlau a ffysian a'n gyrru ni blant i 'rwla ond dan draed' a byddai pawb yn falch o weld y cyfan wedi'i orffen, a chael paned ar ôl i'r hen foelar mawr ferwi.

Un tro, ar ôl i'r stêj gael ei gosod a ninnau i fod i ymarfer at y cyngerdd, aeth George Ty'n Llidiart a minnau i guddio o dan y stêj. Roedd rhyw rimyn o olau yn dod o hafn rhwng y planciau ar y treselydd ac roedd George wedi dod â chansen bambŵ hefo fo, yr un a ddefnyddid i bwyntio at y sol-ffa ar y 'Curwen's Modulator' yn y festri. Pan ddaeth Megan Weun i sefyll gam-ar-led yn union uwchben yr hafn, a blwmar pinc anferth a wnâi Babell Lên go lew yn serennu uwch ei ben o, fedrai George ddim maddau i'r demtasiwn. Gwthiodd y gansen bambŵ drwy'r planciau a dyma 'na sgrech annaearol nes oedd y capel yn bownsian.

Nefi, mi ges i ffrae y noson honno. Roedd Yncl Bob

Gerlan yn digwydd bod acw a sylwais ei fod wedi gorfod mynd allan i'r cowt yn y cefn i chwerthin tra oeddwn i'n cael y ffrae. Ar ôl i mi gael fy hel i 'ngwely galwodd Anti Jôs ac Yncl Em acw a gallwn eu clywed nhw a Mam a 'Nhad yn chwerthin o'i hochr hi am hydoedd.

Roedd 'na bob amser sgets neu ddwy yn y cyngerdd a George, Fred Jaques a minnau a gymerai ran. Un swil oedd George — ac ydi George o hyd — a doedd Fred ddim yn un am brancio ar lwyfan ond roedd y tri ohonon ni (dwi'n meddwl) yn mwynhau gwneud sgets, yn enwedig os caen ni ddynwared rhai o bobl y pentref.

Mab y dreifar tacsi lleol, Alf Jaques, oedd Fred. Cofiaf un car o eiddo'i dad yn dda iawn — Humber, a'r rhif OJ4304. Roedd y car bob amser yn sgleinio fel swllt, ac yn hwnnw yr âi Mam a 'Nhad a minnau i stesion Bangor pan awn ar fy ngwyliau haf i Uttoxeter. Gwyddai Fred bopeth am fol car er pan oedd yn ddim o beth a byddai wrth ei fodd yn potsian yn y bol hwnnw.

Bu Cymdeithas Lenyddol lewyrchus yng Nghapel Gorphwysfa am flynyddoedd, yn enwedig yng nghyfnod y Parch J. Gwynn Jones. Byddai o'n trefnu cwisiau a chystadlaethau difyr (fel 'Pawb yn ei Dro') ac yn mwynhau na fu 'rioed rotsiwn beth. Dyn nobl iawn oedd J. Gwynn Jones (tad Richard Elfyn, a fu'n arweinydd Côr Poliffonig Caerdydd, a Dilwyn Jones, cyn-gomisiynydd S4C, sy'n awr yn gynhyrchydd annibynnol.) Roedd gan fy nhad feddwl y byd o Gwynn Jones a châi groeso mawr ar ein haelwyd bob amser.

Un arall a gâi groeso acw ar ei ymweliadau pregethu â'r capel oedd Ifor Bowen Griffith. Un o Dregarth wrth gwrs. Dyn gyda'r difyrraf. Yn ddi-ffael yn ystod yr oedfa gofynnai i mi ddod ymlaen i ddarllen neu ganu a mynd i ben cadair er mwyn i bawb gael fy ngweld.

Roedd y llais soprano hwnnw oedd gen i, tra parodd o, wedi fy ngwneud yn aelod o gôr plant Dyffryn Ogwen, Côr Willie Parry ar lafar gwlad. Un o Gerlan oedd Willie Parry a bu'n arwain y côr yn ddi-fwlch am flynyddoedd lawer. Côr da oedd o hefyd. Rhyw dri hogyn — Huw Parry o'r Mynydd, Deiniol o Fethesda a minnau — ynghanol yr holl genod i gyd. Ar noson 'steddfod neu gyngerdd gwisgai'r genod ffrogiau pinc, a del oedden nhw hefyd. Roeddwn i mewn cariad hefo'r rhan fwyaf ohonyn nhw am eu bod i gyd yn hŷn na fi.

Pan aem i 'steddfod bell — rhywle fel Rhuallt yng Nghlwyd, a oedd ym mhen draw'r byd yr adeg honno — arhoswn hefo Deiniol ym Methesda gan y byddai'n berfeddion arnon ni'n dod adref a dim modd i mi fynd yn ôl i Sling. Bu rhieni Deiniol, a Gwen ei chwaer fawr, yn hynod o garedig hefo mi y dyddiau hynny.

'Sumpl fel dŵr' oedd un o ddywediadau mawr Willie Parry, a dyna a ddywedai pan gaem drafferth i ddysgu ambell ddarn. Buaswn wrth fy modd yn cael llun o'r hen gôr hwnnw os oes gan rywun un yn yr atig.

Fy mharatoi ar gyfer perfformio o flaen cynulleidfa a wnaeth eisteddfodau, cyngherddau a chôr. Petawn i heb gael y sylfaen yna, yn y cefndir yna, beth tybed a wnawn i am fy mara beunyddiol heddiw? Mae amryw wedi dweud y buaswn wedi mynd yn actor 'run fath yn union oherwydd y byddai'r reddf naturiol wedi ffeindio'r ffordd i'w hamlygu'i hun. Dwi ddim mor siŵr.

'Radio Times'

Hen weiarles 'Bush' fawr oedd gynnon ni. Un â dau stribed o frethyn brown i lawr ei chanol a honno wedi'i gosod ar silff uwchben y soffa. Ar wahân i'r adloniant y bydden ni'n hunain a'r pentrefi o gwmpas yn ei greu, a 'Tarzan' a chowbois ym mhictiwrs Pesda, o'r 'Bush' y caem bopeth arall.

O'r Bush y daeth 'S.O.S. Galw Gari Tryfan' a'r miwsig a gyflwynai'r cyfresi arbennig o waith Idwal Jones. Fe syrthiais mewn cariad ag enw wrth wrando ar Gari Tryfan. Pan fyddai'r cyhoeddwr ar ddiwedd pob pennod yn dweud 'Gari Tryfan oedd O. T. Williams, Alec — Wyn Thomas,' byddwn yn aros am y geiriau nesaf ac wedyn rhoddai fy nghalon fach lam ar ôl iddo ddweud, 'Elen — Ennis Tinouche'. A gafodd unrhyw ferch erioed enw mor fendigedig? Ennis Tinouche. Tinwshe. Bûm mewn cariad hefo Ennis am flynyddoedd ac er na ches i 'rioed ei chyfarfod bu yn fy ngwely lawer gwaith.

'Teulu'r Siop' ac Oswald Griffith (un o Dregarth) yn arbennig. 'Teulu'r Mans'. 'Gŵr Pen y Bryn'. Gwrandawai 'Nhad ar 'Teulu Tŷ Coch' hefyd. Doedd ganddo fo ddim rhagfarn yn erbyn acen y De gan ei fod wedi byw yno. Dois innau, felly, yn ymwybodol ohoni'n gynnar a dod i ddeall bod 'na Gymraeg arall heblaw fy Nghymraeg i.

Ar wahân i 'Sêr y Siroedd' (hefo Hogia Llandegai a Hogia Bryngwran yn 'ifanc') a 'Cenwch Im yr Hen Ganiadau', y ffefryn mawr yn tŷ ni oedd 'Pawb yn ei Dro'.

Gwneud tasgau 'Pawb yn ei Dro' oedd un o'm hoff bethau. Gallaf gofio un ymdrech rŵan, sef llunio brawddeg, saith gair, i gyd yn dechrau hefo 'run llythyren, y llythyren 'N', i gynnwys 'N am Nofiodd'. Y cynnig oedd 'Neno'r nefoedd nofiodd Nicodemus ni Niagra neithiwr'. Ond 'D' am 'Dwynodd' a achosodd y cynnwrf un noson. Roedd Yncl Bob Gerlan acw a dyna lle'r oedden ni'n gwrando. Wyddwn i ddim tan y noson honno mai'r Gymraeg oedd iaith swyddogol y nefoedd. Doedd 'Stondin Sulwyn' ddim yn bod! Dwi wedi rhyfeddu wedyn at fy anwybodaeth.

Roeddwn i wedi treulio deng mlynedd cyntaf fy mywyd yn sŵn iaith rywiog, gref, nodweddiadol o ardal y chwareli. Roeddwn i hyd yn oed wedi clywed blaenor yn rhegi! Nid Wesla oedd o, dwi'n prysuro i ddweud, ond blaenor ydi blaenor yng Ngwalia. Roeddwn i'n mynd i'r Ysgol Sul ac yn gwybod, neu, o leiaf o flaen Mam a 'Nhad, yn smalio gwybod y gwahaniaeth rhwng da a drwg. Doeddwn i ddim heb fod wedi teimlo blas y wialen fedw ar draws fy nghoesau chwaith. Heb wneud dim byd mawr, cofiwch, dim byd i haeddu mynd i'r 'Tân Mawr' nac i'r 'Llong Plant Drwg' oedd wedi'i hangori rywle ar Afon Menai ac yn cael ei galw'n 'Clio'. Roedd arna i fwy o ofn y Clio o lawer na'r 'Tân Mawr' am ei bod hi'n nes at Sling.

Roeddwn i wedi darllen yn reit eang hefyd erbyn hyn, a chysidro f'oed, ac wedi darllen ambell air hyll iawn ac yn gwybod ei ystyr. Dysgais ddau neu dri o rai newydd un noson dywyll wrth y goeden gelyn yn ymyl Ty'n Llidiart lle roedd George a minnau wedi cuddio pan oedd John Bwtsiar yn danfon cig i'r tŷ. Fe ddychrynodd i ffitiau wrth inni neidio o'r tu ôl i'r goeden, ac yntau'n cario llond tre o gig gwaedlyd gwlyb ar y pryd. Fe dalodd yn ôl i ni ar ei ganfed.

Efallai y dylwn i rŵan ddweud gair bach yn ychwanegol am y weiarles 'Bush'. Roedd hi'n edrych mor awdurdodol fel na fedrech chi lai na choelio pob gair a ddôi o enau unrhyw un a gâi'r fraint o siarad trwyddi. Roedd hi'n gweithio'n ardderchog ar yr 'Home' ond yn anobeithiol ar y 'Light', yn enwedig os oedd 'Nhad a minnau'n gwrando ar focsio. *Commentary by Eamonn Andrews with inter-round summaries by W. Barrington Dalby*. Tybiwn fod y Barrington Dalby 'ma yn gwybod pob dim am focsio, ac fe'i dychmygwn o'n fidlwêt hefo clustiau fel dwy gabatsian a thrwyn fflat. Cefais fy siomi pan welais lun ohono a sylweddoli mai rhywbeth tal, tenau, hefo mwstash a sbectol oedd o, dim byd tebyg i focsiwr o gwbl.

Ein problem ni oedd fod bocsiwrs fel Dai Dower yn mynnu mynd bymtheg rownd ac fe fyddai'r hen weiarles yn teimlo'i hoed ymhell cyn y rowndiau olaf. Rhaid oedd i 'Nhad a minnau sefyll ar ben y soffa a'n clustiau wrth y stribyn defnydd ar ôl tua'r wythfed rownd er mwyn clywed beth oedd yn digwydd. Ond ar yr 'Home' y byddai hi fwyaf nes i mi ddod i oed 'Radio Luxembourg'.

Sut bynnag, dyna lle roedden ni'r noson honno yn gwrando ar 'Pawb yn ei Dro'. Y dasg a osodwyd oedd brawddeg heb ynddi lai na saith o eiriau i gyd yn dechrau hefo'r llythyren 'D' i gynnwys 'D am Dwynodd'. Fel bollt daeth y cynnig, 'Dwynodd dynion drwg dyrcwn, do damia'r diawlad digywilydd'.

Roedd y pedwar ohonon ni'n rowlio. 'Dew', meddai 'Nhad, 'da.' Sylw addas iawn o gofio'r dasg a osodwyd.

Ond y frawddeg a'n syfrdanodd ni oedd yr un nesaf a ddaeth o'r 'Bush'.

'Dydan ni ddim ym cymryd peth fel'na ar y BBC.'

Fu'r BBC byth 'run fath i mi wedyn!

Ffyrddyr Ediwceshion

Mae ambell ddigwyddiad ym more oes dyn a all effeithio arno am weddill ei fywyd. Na, dydw i ddim ar fin dechrau pennod seicolegol ddofn i'ch syfrdanu chi ond mae angen sôn am y profiadau bythgofiadwy. Dwi wedi sôn eisoes am y pryfed cop hynny yn y twnnel dan hen ysgol Bodfeurig. Profiad trawmatig iawn oedd hwnnw.

Ond bu un arall. Yr oeddwn erbyn hyn ar fin gadael yr ysgol fach a rhaid oedd mynd draw i'r Ysgol Fawr ym Methesda i sefyll rhyw arholiad o'r enw 'Scholarship'. Ar y diwrnod hwnnw y digwyddodd o.

Nid yr arholiad ei hun a achosodd y trawma er bod rhywun yn nerfus iawn ar y diwrnod. Roedd cael mynd ym mws ysgol y plant mawr yn brofiad. Wedi codi cyn cŵn Caer i fod yn barod ac yn sefyll ym mhen y lôn funudau lawer yn rhy fuan. Pobl y pentref yn dod allan i ddymuno'n dda imi a gofyn a oedd fy ffownten-pen i gen i a phethau felly. Mam wedyn yn mynnu dod i 'nanfon i yr hanner canllath at y lôn fawr a minnau ddim eisiau i'r plant mawr ei gweld hi'n gwneud hynny.

Mae rhywun sydd wedi arfer bod yn un o'r rhai mwyaf yn yr ysgol fach yn dychryn o fod, yn sydyn reit, yn un o'r rhai lleiaf yn yr ysgol fawr. Gweld hogia mawr, mawr, mewn gwisg ysgol ar y bws. Roedd rhai ohonyn nhw wedi dechrau shefio hyd yn oed ac ambell un a ddyl'sai fod wedi dechrau ers oesoedd.

Roeddwn i'n lwcus fod hogyn o'r pentref yn un o'r

67

hogia mawr 'ma, sef Meirion o stryd ni, a oedd ar fin gadael Ysgol Dyffryn Ogwen. Ces fynd hefo fo sawl Sadwrn i'w weld yn chwarae ffwtbol i dîm yr ysgol ac roeddwn i'n freintiedig iawn o ddod i wybod enwau rhai ohonyn nhw — Deufryn, Gareth, Derek, Meirion Owen — a medru dweud 'helô' wrthyn nhw ar y stryd wrth fynd i gôr Willie Parry ar nos Wener a chael 'Sut wyt ti, boi?' yn ôl.

Roedd Mam a 'Nhad mor hyderus fy mod i'n mynd i basio'r arholiad i'r ffrwd ramadeg yn yr ysgol fawr fel eu bod nhw wedi prynu blesar y 'cownti sgŵl' imi ymlaen llaw ac mi ges ei gwisgo hi i fynd i drio'r 'scholarship'.

Roeddwn i'n eithaf hyderus ynof fy hun ar ôl ateb papurau'r sesiwn boreol ac yn ddigon bodlon fy myd yn mynd tua'r cantîn am ginio. Dim ond pedwar (Eirwen Pritchard, Arthur Lewis, Alwyn Davies a minnau) oedd 'na o Ysgol Bodfeurig, ac am nad oeddem yn ddigon i lenwi bwrdd fe'n gwahanwyd i eistedd yma ac acw.

Fe eisteddais i wrth fwrdd yn llawn o hogia o ysgol Rachub — bwndel o anwariaid, a minnau'n hogyn bach mor neis! Roedd pob un ohonyn nhw hefyd wedi bod yn yr arholiad yn y bore. Y ddau a eisteddai wrth ben y bwrdd oedd yn rhannu'r bwyd. Dwi ddim yn cofio pwy'n union oedden nhw rŵan ond dwi'n amau mai John Morgan oedd un. 'Chips' a stiw oedd ar y fwydlen, a ches i ddim digon i fwydo dryw gan y diawliaid. Pan ddaeth y pwdin — teisen jam a chwstard — dim ond rhyw lwyaid a ddaeth i mi eto ond roedd y cwstard yn nofio i'r ymylon ar ddysglau'r saith arall.

Roedd yr un dros y ffordd i mi (Al Bobs oedden nhw'n ei alw) wedi dechrau fflicio cwstard ac fe aeth peth o'r cwstard — lot fawr, a dweud y gwir — yn un slebaj melyn dros fy mlesar newydd i. Es yn horlics a stwffiais ben yr Al Bobs 'ma i ganol ei gwstard. Pan gododd ei ben ohono yn ara' deg edrychai fel petai wedi bod bymtheg rownd hefo Laurel a Hardy.

Yr eiliad honno pwy ddaeth i sefyll o flaen y bwrdd ond Jones Black. Dyn gwyn wrth reswm ond bod ganddo aeliau duon mor drwchus flewog nes ei fod yn edrych fel brawd i'r ci hwnnw yn hysbyseb 'Dulux'. Roedd cefn llaw Jones yn enwog hyd yn oed i rai fel ni oedd heb gyrraedd yr ysgol. Fe'm haliodd i allan o'm sêt a'm martsio i gongl y cantîn. Roedd pawb erbyn hyn wedi stopio bwyta i gael gweld y truan oedd ar ei ffordd i'r crocbren. Gyda'r geiriau 'Mi fydda i'n cadw llygad amdanat ti, washi,' dyma fo'n rhoi ordors i mi sefyll yn wynebu'r wal nes dôi amser mynd yn ôl am yr arholiad pnawn.

Rêl reffarî ffwtbol. Y boi sy'n cyflawni'r 'orijinal offens' yn cael llonydd i ffowlio eto, a'r creadur sy'n ymateb yn cael ei gosbi.

Meddyliwch mewn difri, cael eich 'hel i'r gongl' ar ddiwrnod 'scholarship'. Pasiais yr arholiad ac felly fu dim rhaid i mi fynd yn agos at ddosbarthiadau Jones Black yn yr Ysgol Isaf ar ôl cyrraedd Dyffryn Ogwen.

Wedyn y dois i wybod bod yr Al Bobs 'ma yn perthyn dros ben cloddiau i mi (ei dad yn gyfyrder i 'Nhad), ei fod yn gôlcipar gwych ac y byddem yn ffrindiau mawr am weddill ein dyddiau ysgol ac y byddai o hefyd, fel Alwyn Roberts, maes o law, yn dod yn un o'r dynion camera gorau sydd gennym yng Nghymru.

Fe basiodd 49 ohonom y 'scholarship' y flwyddyn honno, y nifer mwyaf erioed mae'n debyg. Bu'n rhaid ein rhannu yn ddau ddosbarth, 1A1 a 1A2. Fe'm gosodwyd yn 1A1. Yn hen adeilad y Cefnfaes, yr Ysgol Isaf, yr oedd ein 'stafell ddosbarth yn y flwyddyn gyntaf. Dosbarthiadau B ac C hyd at flwyddyn pedwar oedd yn fan'no i gyd heblaw ni. Ond waeth beth oedd ein cefndir addysgol, un oedd pawb wrth chwarae ffwtbol ar yr iard amser chwarae. Hefo pêl fach yr oedden ni'n chwarae, os oedden ni'n ddigon lwcus i'w dwyn hi oddi ar Robin Roberts a Hedd, y ddau'n medru driblo 'run fath â Stanley Matthews.

Ychydig iawn o wersi a gaem yn un dosbarth hefo'n gilydd ar y cychwyn, ar wahân i chwaraeon. A bwndel o rai direidus oedden ni, ac nid dim ond yr hogia. Pan oedd y dosbarth yn un mawr roedd hi'n sialens hyd yn oed i'r athro llyma'i ddisgyblaeth. Robin 'Lorraine', Terry Young, Lwlw (Elwyn Jones), Deiniol, Kiwi, Sami Ty'n Clwt, Adrian Cochyn, John Charles, John Morgan, Bili Môr, Arthur, Dafydd Dafis, Phil Watts, Den Dart, y ddwy Helen, Ann a Magi o Riwlas, Ann Carneddi, Margaret Llechid, Meirwen Falmai, Thelma Pandy, Margaret Ann, Lisabeth, Nola, Mair D., a Mair Parry Bwtsiar, Rhiannon, Deilwen Bee Hive, Gwenda, Gwen Trefor, Hilary Refal a Huw Brown, heb sôn am y boi bach gwallt cyrliog o Sling. Digon i drethu amynedd sant.

Mab i Ted Brown, yr athro Cemeg, oedd Huw. Hogyn cryf, hynod o hoffus. Gallasai bod yn fab i athro fod yn llyffethair i ambell un ond nid i Huw. Wnaeth o fennu dim ar ei ddireidi beth bynnag ac roedd yn un o'r hogia mwyaf poblogaidd drwy gydol ei amser yn yr ysgol. Saesneg oedd iaith yr aelwyd gartref. Er bod Mr a Mrs Brown yn deall Cymraeg, Saesneg oedd iaith gyntaf y ddau. Weithiau, byddai Huw yn bathu gair Cymraeg newydd yn hollol anfwriadol. Un dwi'n gofio oedd 'cosynnau' am 'pimples'! Cofiaf iddo ennill ar draethawd yn 'steddfod yr ysgol un tro a'r beirniad yn dweud bod y gwaith yn frith o gamgymeriadau ond yn rhyfeddol o wreiddiol.

Chwaraeai banjo hefyd. Doedd o ddim yn George Formby, er bod yr offeryn yn hŷn na hwnnw hyd yn oed (torrodd tri o'r llinynnau yn ystod perfformiad un tro) ond byddai'r datganiadau yn dipyn o hei-leit yn y 'Caban', sef cymdeithas yr ysgol ar nos Wener pryd y byddem yn creu ein 'Noson Lawen' ein hunain. Yn aml, roedd ei nodau yr un mor wreiddiol â'i draethodau.

Ymhen rhai blynyddoedd byddai Huw a minnau'n mynd ar ein beics am wyliau at Anti Mona i Lyndyfrdwy. Roedd ganddo dipyn o ffansi at Mary fy chwaer ac fe oleuai ei wyneb fel y deuem i olwg Carrog ac yntau'n gwybod mai dim ond rhyw filltir neu ddwy o'r siwrnai oedd ar ôl!

Mae Huw bellach yn byw yn y Swistir a dwi ddim wedi'i weld ers rhai blynyddoedd, ddim er pan ddaeth adref i gwblhau gwerthu'r tŷ wedi marw ei rieni. Fe dreuliodd tri ohonom, Phil, Kiwi a minnau y noson olaf honno yn y tŷ hefo fo. Noson o atgofion melys a chwerthin.

John Morgan oedd yn gymeriad. 'R' fel trrrên ganddo a thempar i fatsio'r blewyn coch yn ei wallt. Chwerthwr harti a phêl-droediwr medrus. Arferai Tomi ei dad gadw defaid ac, yn naturiol, fe newidiwyd y gân leol enwog i 'Defaid Tomi Morgan'. Dwi ddim wedi gweld John ers blynyddoedd lawer er ei fod yn byw yn y cyffiniau.

Gwelaf rai o'r hen hogia bob hyn a hyn. Phil Watts yn amlach na neb gan ei fod yn canu yng Nghôr y Penrhyn. Phil oedd un o'r pêl-droedwyr gorau yn yr ysgol. Medrai gadw'r bêl wrth ei droed fel petai hi'n sownd hefo lastig. Un arall o hogia Rachub, flwyddyn yn iau na mi, oedd un o'r pêl-droedwyr — athletwyr yn wir — gorau a welais i 'rioed, sef Alan Hampshire Davies. Dwylath o hogyn hefo cic mul ymhob troed a brên i ddefnyddio'r bêl. Cafodd gymaint o dalent nes gwneud i feidrolion y gêm fod yn eiddigeddus iawn ohono. Dywedodd Tommy Jones, cyn-chwaraewr Everton (a Phwllheli wrth gwrs), pan oedd yn rheolwr Bangor mai Alan oedd y dalent fwyaf a welodd o. Roedd o'n flin iawn hefo Alan am nad oedd yn fodlon gweithio ar feithrin ei dalent naturiol.

Dywedais ei fod yn athletwr hefyd. Y naid hir oedd ei ddilèit. Yn un ar bymtheg oed neidiodd ddwy droedfedd ar hugain yng nghystadleuaeth yr ysgol, a hynny heb fawr o ymdrech, hefo'i drowsus yn ei 'sana! Dywedai Idwal Hughes, yr athro Chwaraeon, y medrai Alan, hefo tipyn o ymarfer, gynrychioli Cymru yng Ngemau'r Gymanwlad ond wnaeth Alan ddim trafferthu. Byddai gennym bencampwr cyn dyddiau Lyn Davies petai wedi gwrando.

Roeddwn i'n sôn am Idwal Hughes. Ew, roeddwn i'n hanner addoli Hughes P.T. Dyn cadarn, teg, a gwên hoffus, hoffus. Yr oedd wedi dioddef yn arw mewn carchar rhyfel Siapaneaidd ond soniodd o'i hun erioed air am y peth. Pan fyddai ymarferion drama ar ôl yr ysgol cawn fynd adref ato fo a Mrs Hughes am de. Cofiaf un tro i Gwenlyn Parry (a oedd yn athro yn yr ysgol yn fy mlynyddoedd olaf) a minnau fod yno a Gwenlyn wedi mynd i'r tŷ bach fel yr oedd te yn dod i'r bwrdd. Mrs

Hughes yn gyrru Catrin, tua thair, i weiddi ar Gwenlyn a hithau o waelod y grisiau yn gweiddi, 'Pi-pi wyt ti, Parry?' Roedd Gwenlyn yn rowlio chwerthin. Dyn spesial oedd Idwal Hughes.

Mae pêl-droed — ffwtbol — wedi bod yn rhan annatod o 'mywyd i ers pan fedra i gofio. Dwi wedi treulio oriau ac oriau yn cicio pêl, yn ymarfer cicio pêl, a gwylio pobl eraill yn cicio pêl. Pan oeddwn i'n ddim o beth awn hefo 'Nhad i weld Bangor City. Soniais eisoes fod Iorys fy nghefnder yn chwarae i Fangor, a bu'n gwneud hynny'n ddi-dor am bron i ddeunaw mlynedd, a rhoi cant y cant ymhob gêm. Roedd Mam wedi gwneud (neu ail-wneud) côt i 'Nhad a minnau i fedru cadw'n sych wrth wylio gêm yn y glaw. Hen gêp-oel beic 'Nhad (fu ganddo fo 'rioed feic chwaith, i mi gofio) a lle i mi wthio 'mhen allan yn y blaen a'r clogyn melyn dros y ddau ohonom. Dylid bod wedi cael patent i'r gôt honno. Efallai y buasem wedi gwneud ein ffortiwn.

Roedd dydd Sadwrn yn un trefnus iawn bob amser. Er pan oeddwn i'n ddeuddeg ac yn chwarae i dîm dan dair ar ddeg yr ysgol fel hyn y byddai hi: chwarae i'r ysgol yn y bore, mynd i weld gêm yn y pnawn, a'r pictiwrs yn y nos. Diwrnod o bleser pur. Coron ar y diwrnod oedd bachu un o'r ychydig seti-dwbl yng nghefn y pictiwrs i drafod y manion hefo'r ferch ifanc landeg yn eich bywyd.

Dwi'n rhoi'r drol o flaen y ceffyl. Cyn hynny yr oedd George Ty'n Llidiart a minnau wedi cicio pêl am oriau, un ai yn y Cae Hetar (roedd o 'run siâp â haearn smwddio) neu ar y darn bach o dir glas ynghanol rhedyn Gwaelod y Parc. Gan mai dim ond dau oedd yn chwarae doedd dim amdani ond 'siot am gôl'. Dyna, mae'n debyg, sut y daeth George yn gôlcipar a minnau'n 'inside-left', yr unig ddau hogyn yn y pentref a'r ddau yn chwarae i dîm yr ysgol a thîm ysgolion Sir Gaernarfon.

Pan ddaeth hi'n athletau maes o law a ninnau'n byw mewn lle cymharol anghysbell câi George ddod â 'javelin' a 'shot' adref i ymarfer, a minnau 'discus'. Buom yn cynrychioli'r ysgol a'r sir yn hynny hefyd a chydag Alan, y soniais amdano, a Huw John Hughes (Pili Palas) daethom yn agos at ennill pencampwriaeth Cymru yn y ras gyfnewid. Rhywfaint o dalent gynhenid efallai ond yr ymarfer oedd y gyfrinach. Yr oedd sgiliau pêl-droed y rhan fwyaf o hogia'r timau y bûm i'n chwarae hefo nhw cystal, os nad gwell, â llawer sy'n cael ffortiwn o dâl am chwarae'n broffesiynol heddiw. Doedd gynnon ni, wrth gwrs, fawr o ddim byd arall i'w wneud â'n hamser.

Ond yn yr Ysgol . . . (2)

Roedd darlith 'Tynged yr Iaith' Saunders Lewis a chaneuon Dafydd Iwan rai blynyddoedd i'r dyfodol pan ddechreuais i ar f'addysg yn Nyffryn Ogwen. Tua phedwar cant o blant oedd yno bryd hynny a phob un wan jac yn dod o gartrefi Cymraeg eu hiaith. Ond Saesneg oedd iaith y gwersi, a phawb yn derbyn mai felly roedd hi i fod. Dyna oedd y drefn, a'r hyn sy'n gwylltio rhywun erbyn hyn ydi'r ffaith bod cymaint o'r athrawon yn Gymry Cymraeg ond yn mynnu siarad Saesneg hefo ni y tu allan i'r gwersi. Yr oedd un hen gnawes arbennig iawn yn hyn o beth. Mabel Jones oedd ei henw a hi a roddai wersi Lladin inni. Roeddwn i wedi cymryd yn ganiataol mai Saesnes oedd hi nes i mi ei chyfarfod un diwrnod ar y stryd pan oeddwn yn y coleg ym Mangor. Fe'm cyfarchodd yn Gymraeg. Buaswn wedi medru rhoi cefn llaw iddi.

Roy Owen wedyn. 'Larry' i ni. Hogyn o Stiniog a dyn galluog iawn ond Saesneg a siaradodd o hefo mi tra bûm yn yr ysgol. Y fo a anfonodd ryw foi bach i'r 'Stafell Athrawon un tro hefo'r gorchymyn, *'Go to the Staff Room and fetch me the "O" Level Syllabus, boy.'*

Hwnnw'n mynd ac yn cnocio'r drws.

Athro'n dod i'r drws ac yn gofyn iddo, 'Ia. Be' 'dach ch'isio?'

'Roy Owen isio'i slipars olefal.'

Lewis Hughes, athro Mathemateg, un o Dregarth,

yn uniaith Saesneg yn y gwersi ond Cymraeg ar y coridor y rhan fwyaf o'r amser. Ganddo fo y ces i'r belten orau erioed dwi'n siŵr. Mewn un wers Fathemateg cododd Margaret Ann ei llaw i ddweud bod Hilary'r Refal yn teimlo'n sâl. Rŵan, roeddwn i ac Alwyn Roberts wedi cael ein symud i flaen y dosbarth ar ôl cael ein dal yn chwarae 'Oxo' yn y cefn a dyma ni'n troi i weld beth oedd yn bod ar Hilary. Fe ddylai Lewis fod wedi dweud wrth Margaret am fynd â Hilary allan i'r awyr iach ond yr hyn wnaeth o oedd dweud, *'Come out here, Hilary.'*

Roedd Hilary yn ddwy lath o hogan yn y trydydd dosbarth a Lewis druan rhyw bum troedfedd yn nhraed ei 'sana. Cododd Hilary o'i desg a cherdded yn ddigon simsan i flaen y dosbarth. Heb ddweud gair ymhellach fe lewygodd yn y fan ac wrth ddisgyn fe aeth â Lewis hefo hi. Syrthiodd y ddau i'r llawr fel sach a hanner o datws. Gwaeddodd Lewis ar Alwyn a minnau, y ddau agosaf at y gyflafan, *'Help me, boys. Help me.'* Yn anffodus, petai Lewis ar fin cael ei fygu i farwolaeth gan foa constrictor fedrai'r un ohonom helpu dim arno gan ein bod yn rowlio chwerthin. Roedd hynny'n wir am yr hogia i gyd, a sawl un o'r genod, ond fe gododd dwy ohonynt a thynnu Hilary oddi arno a'i llusgo hi allan. Wedi'r elwch nid tawelwch fu ond stido.

Alwyn a minnau oedd yn y 'direct line of fire' a ni a'i cafodd hi waethaf. Buasai Lewis, yn ei gynddaredd o golli'i ddigniti, wedi achosi problem i Jimmy Wilde a bu twll fy nghlust i'n brifo am ddyddiau lawer.

Dwi'n falch na ches i 'rioed gefn llaw gan Ieuan Llewelyn Jones, yr athro Hanes. Maer Arfon erbyn hyn.

Ond fuaswn i ddim wedi cael un ganddo fo. Dwi'n siŵr fy mod i wedi haeddu un lawer tro ond ei fod o'n rhy annwyl i'w rhoi hi. O ganlyniad yr oedd cambihafio garw yn ei ddosbarthiadau o bryd i'w gilydd! Dyn abl yn ei ddydd, Mr Jones. Fe'i gwelais yn agor a chau 'chest-expanders' pum spring yn y gampfa fel petaen nhw'n adenydd glöyn byw.

Dwi ddim yn meddwl bod y prifathro, Mr Ronald Pardoe, eisiau bod ym Methesda mwy na thwll yn ei ben. Un o Gwm-bach, Aberdâr yn wreiddiol ond bu'n brifathro'r ysgol am flynyddoedd lawer. Doedd ganddo ddim i'w ddweud wrth chwarelwyr a llai fyth wrth eu meibion. *'Sons of quarrymen and welfare state rubbish'* oedd ei eiriau ar goedd yn y gwasanaeth boreol fwy nag unwaith. Pan ymddeolodd derbyniais lythyr o'r ysgol yn gofyn am gyfraniad at dysteb iddo. Dim ffiars o beryg oedd yr ateb.

Ond cofiaf gasglu arian coffa i Mrs Pardoe pan fu farw'n ddisymwth a ninnau yn y chweched. Trefnwyd casgliad ymhlith y plant — Ann Jones o Riwlas a minnau'n trefnu fel capteiniaid yr ysgol — a chasglwyd naw deg o bunnoedd, tipyn o swm yn y cyfnod hwnnw. Aeth Ann a minnau draw i'w gartref yn Nolgoch i ddanfon yr arian ond prin y cawsom air o ddiolch.

Ychydig yn ddiweddarach roedd Ann a minnau a rhai eraill o'r chweched yn treulio gwers rydd yn gweithio yn y 'stafell drws nesaf i 'stafell y prifathro. Rhyw bartisiwn digon tenau oedd rhwng y ddwy 'stafell ac os oedd y prifathro yn codi'i lais (fel y gwnâi yn aml) gellid clywed a deall pob gair. Y bore hwnnw roedd yn rhoi andros o ffrae i ferch o'r trydydd dosbarth am esgeuluso'i gwaith.

Roedden ni'n digwydd gwybod bod y ferch wedi colli'i mam ac mai hi bellach oedd yn gwneud popeth yn y tŷ i'w thad a'i brodyr. Roedd y ferch fach yn beichio crio wrth geisio esbonio'i sefyllfa ac yntau'n dal i fynd ymlaen ac ymlaen.

Penderfynodd Ann a minnau bod rhaid dweud rhywbeth a dyma fynd, yn ddigon nerfus, a rhoi cnoc ar y drws. Cawsom ddweud ein dweud, ond wnaeth o ddim meddalu o gwbl dim ond anfon y ferch yn ôl i'w dosbarth.

Fe'n galwyd ni yn 'sons of quarrymen' unwaith yn ormod ganddo pan oeddwn i yn y chweched. Yr oeddem eisoes wedi trefnu ymysg ein gilydd i gerdded allan o'r gwasanaeth pe gwnâi o hynny un waith eto. A dyna wnaed, yn un llinell drefnus, hogia a genod. Yntau'n gweiddi ar dop ei lais, *'And where do you think you are going?'* Streic oedd yr ateb. Gwrthodai o ymddiheuro a gwrthodem ninnau fynd yn ôl i wersi nes y gwnâi.

Bu Lewis Hughes, y dirprwy, yn ceisio ymresymu hefo ni, a galwyd pedwar ohonom i 'stafell y prifathro. Roedd o'n gynddeiriog y tu ôl i'r llygaid ond fe ddywedodd ryw fath o 'sori' ar hyd ei din. Fu fawr o dda rhyngon ni ar ôl hynny.

Yn ôl Gwenlyn Parry (a ddaeth i ddysgu Gwyddoniaeth i'r dosbarthiadau isaf pan oeddwn i rywle tua'r bedwaredd flwyddyn) Mr Pardoe oedd y cyntaf i sensro Saunders Lewis. Hefo Gwenlyn yn yr ysgol, Ieuan Llewelyn, Rhys Gwynn (un o Lanrwst a ddaeth yno i ddysgu Saesneg) a Wil John Davies (athro Cymraeg, a fu wedyn yn brifathro Ysgol Morgan Llwyd, Wrecsam) yr oedd gennym nifer helaeth o athrawon yn ymddiddori yn y ddrama.

Penderfynwyd gwneud cynhyrchiad o 'Gymerwch Chi Sigarét?' Bu ymarfer am wythnosau a daeth y diwrnod i roi perfformiad i'r ysgol. Yn y cast yr oeddwn i'n chwarae rhan Phugas (am y tro cyntaf!), Sheila fel Iris a Gwyn Parry ('Pengelli' erbyn hyn) oedd Marc. Mwynhawyd y perfformiad yn fawr gan ein cyd-ddisgyblion a mawr fu'r gymeradwyaeth ond roedd y prifathro wedi codi o'i sedd a 'madael cyn diwedd y perfformiad.

Wrth gwrs, yr oedd perfformiad cyhoeddus i'r rhieni i ddilyn, a buom yn ymarfer eto dros wyliau'r Pasg. Ond doedd dim sôn am ddyddiad. Gofyn a gofyn i'r Mr Gwenlyn Parry 'ma. O'r diwedd dyma fo'n dweud wrth y cast am ddod i'r neuadd amser cinio i gael cyfarfod. Erbyn hyn yr oeddem wedi rhoi trefn ar y gwerthwyr tocynnau ymhob dosbarth. I mewn â ni, a Gwenlyn yn reit nerfus yr olwg. Pa bryd? Dyma Gwenlyn yn ein syfrdanu trwy ddweud bod Mr Pardoe yn meddwl bod y ddrama yn 'rhy aflednais' i ni ei pherfformio'n gyhoeddus! 'Gymerwch Chi Sigarét?' yn 'rhy aflednais'!

Yr oedd wedi gweld 'Iris' yn rhoi'i llaw ar ei chroth pan oedd yn sôn am ei babi. Dyna pryd y cerddodd allan o'r perfformiad mae'n siŵr. Er i'r disgyblion dderbyn hyn yn dawel a diffwdan fedrai'r prifathro ddim. Fedrai o ddim dod i ddweud hynny yn ein hwynebau ni chwaith. Y fo oedd y cyntaf i'w sedd pan oedden ni'n perfformio 'Pasiant y Pasg'. Mae hynny'n dweud y cyfan amdano.

Mae un ôl-nodiad i'r stori uchod. Pan ddywedodd Gwenlyn wrthym am benderfyniad y prifathro fe gollais i fy limpyn braidd a dweud, 'Wel, y ****.' Dyma Gwenlyn yn fy ngyrru allan o'r neuadd gyda'r ordors i aros amdano y tu allan i'r drws. Daeth ataf mewn munud neu ddau a dweud, '*Dwi*'n gwbod ei fod o'n **** ac rwyt *ti*'n gwbod ei fod o'n ****, ond doeddat ti ddim i fod i'w alw o'n **** i mewn yn fan'na.'

Roedd gan Mr Pardoe ddau o blant yn yr ysgol, Delyth ac Eryl. Er mor amhoblogaidd oedd eu tad mae'r ffaith eu bod nhw'n boblogaidd yn siarad cyfrolau amdanynt. Dwi ddim wedi gweld Delyth ers blynyddoedd a bu farw Eryl yn ddyn ifanc mewn damwain tra'n dringo ym mynyddoedd Canada. Hogyn tawel a hoffus iawn oedd Eryl. Fe gerddodd allan o'r neuadd hefo ni y diwrnod hwnnw a mawr oedd edmygedd pawb ohono am wneud.

Yn Neuadd Ogwen, neuadd Bethesda, y ces i fy awr fawr yn fy mhedwaredd flwyddyn. Yr oedd bri mawr ar 'steddfod yr ysgol a byddai cystadlu brwd a ffyrnig rhwng y tri 'Tŷ' yn yr ysgol: 'Llywelyn', 'Tryfan' a 'Dafydd'. Un o hogia 'Dafydd' oeddwn i.

'Y Coed' oedd testun cystadleuaeth y gadair y flwyddyn honno. Y drefn oedd cael y testunau mewn sesiwn caeëdig arbennig ar ôl yr ysgol a sgrifennu'r gwaith bryd hynny. Duw a'ch helpo os oedd yr Awen yn digwydd bod ym Mangor y diwrnod hwnnw, ond yr oedd yn deg â phawb gan y byddech yn saff na fu'r un 'bardd' o riant yn caboli'r gwaith.

Lluniais delyneg gyda'r pennill olaf yma:

Mae i'r rhain eu hurddas,
Hawliant hwy ein parch,
Aethant i wneud fy nghrud
Ac ânt i wneud fy arch!

'Joe Palooka' oedd fy ffugenw, a dyna'r ffugenw a gyhoeddwyd o'r llwyfan y noson honno. Huw Brown a'm helpodd i ar fy nhraed; roedd fy nghoesau'n crynu cymaint. Wna i byth anghofio hogia a genod y dosbarth, o bob Tŷ, yn gweiddi eu cymeradwyaeth.

Dyna'r unig gadair dwi'n debygol o'i chael byth.

Ond yn yr Ysgol . . . (3)

Ym mlynyddoedd cyntaf yr Ysgol Fawr tueddir i wneud
arwyr o'r hogia ac eilunaddoli'r genod yn y chweched
dosbarth. Roedd gen i fy arwr a'm duwies.

Hefin Morgan (Morgins) oedd yr arwr. Hogyn o
Gerlan a thaflwr gwaywffon heb ei ail ac ar ben hynny
roedd o'n hen foi iawn a charedig hefo ni'r pethau bach.
Roedd cael 'Sut wyt ti?' a chwalu'ch gwallt gan Morgins
yn fraint aruthrol ac yn eich gwneud yn arwr eich hun
yng ngolwg eich ffrindiau. Yn aml, eisteddwn ar y Cae
Top drwy'r amser chwarae i weld Hefin yn ymarfer taflu'r
'javelin' dan gyfarwyddyd Idwal Hughes, yntau hefyd â
meddwl y byd o Morgins. Minnau'n rhedeg i'w nôl iddo
ac yn sychu'r lle gafael hefo hen dywel. Byddai'r waywffon
honno wedyn yn cael ei hyrddio gan y 'sgwyddau llydan
cyhyrog cyn belled â dau gan troedfedd bron. Ymfudodd
Hefin i Seland Newydd flynyddoedd lawer yn ôl bellach.

Enid Hughes oedd y dduwies. O, pishyn, hefo gwên
fuasai wedi toddi'r 'Milk Tray' ymhell cyn ichi ei
chyrraedd hefo'r offrwm. Gwallt, llygaid, a chroen tywyll.
Mm . . . dwi'n crynu rŵan. Mae tuedd gan genod mawr
i wneud ffŷs o hogia bach yn yr ysgol, ond ydan nhw'n
sylweddoli'r effaith mae hynny yn ei gael ar feddyliau sy'n
prysur golli eu diniweidrwydd? Enid, a fu'n wraig Plas
Maenan am flynyddoedd. Dyma iti sws, X, dduwies.

Yr oedd gen i arwr yn y chweched pan oeddwn i yn

y trydydd dosbarth hefyd. Roedd hwn eto'n hogyn mawr cryf ond nid ar y meysydd chwarae y disgleiriodd o i ddenu fy sylw ond ar y llwyfan. Fe gafwyd perfformiad o 'Alecsander Fawr' gan gwmni'r ysgol a Derfel Gruffydd oedd Alecsander. Roeddwn i'n meddwl ei fod o'n actor ffantastig. Mae rhywun yn ei osod ei hun yn 'sgidia'i arwr. Yn eich dychymyg, chi ydi o yn gwneud y pethau mae o'n medru eu gwneud. Yn union fel Morgins a'i waywffon, felly Derfel a'i actio.

Roedd Lisabeth ei chwaer yn yr un dosbarth â mi ac felly roedd gan Derfel gysylltiad â ni. Hogyn a edrychai ar ôl y rhai llai oedd Derfel gan fod un neu ddau o fwlis ymysg y rhai hŷn yn y cyfnod hwnnw. Châi neb gam os oedd Derfel o gwmpas. Nid ei fod o'n un am godi'i ddyrnau o gwbl ond fe wyddai sawl un yn well na cheisio tynnu blewyn o'i drwyn.

Wedi cystudd hir bu Derfel farw yn 1995. Yn unol â'i ddymuniad, gofynnodd Glenys ei wraig a fuaswn i'n darllen soned Williams Parry, 'Gadael Tir', yn ei gynhebrwng. Fy mraint i oedd cael gwneud hynny, er i'r darlleniad fod yn un o'r rhai anoddaf i mi'i wneud erioed, ac yn fwy fyth felly ar ôl clywed teyrnged y Parch. Harri Parri i Derfel. Dwi ddim yn meddwl y clywa i byth deyrnged hefo'r fath onestrwydd plaen, adnabyddiaeth dreiddgar a hiwmor iach. Cyfaill yn sôn am gyfaill heb nac anwiredd na gweniaith. Teyrnged arall oedd y ffaith fod Capel Seilo, Caernarfon yn orlawn y diwrnod hwnnw.

A minnau newydd sgrifennu'r frawddeg ddiwethaf 'na fe ganodd y ffôn. Rhys, y mab canol, oedd yn galw o Gaerdydd. Yr oedd newydd glywed yn y gwaith am farwolaeth un arall o'm harwyr dyddiau ysgol, sef yr hoffus, ddiymhongar Dewi Bebb.

Fel hogyn o Fangor, i Ysgol Friars yr oedd Dewi'n mynd ond pan oedd yn y chweched yr oedd yn arwr mawr i hogyn un ar ddeg yn Ysgol Dyffryn Ogwen oherwydd ei allu fel athletwr. Wna i fyth anghofio Dewi'n rhedeg yn chwaraeon ysgolion Arfon pan oedd yn ddisgybl yn y chweched. Fe safodd ei record am redeg canllath am flynyddoedd maith. 9.9 eiliad. Yn 1955! Rhyfeddol o gyflym ar drac gwelltglas. Go brin iddi erioed gael ei thorri gan iddynt newid o'r llathenni i fetrau cyn bod neb wedi llwyddo i wneud.

Yr oedd cydoeswr â Dewi, hogyn o'r enw D. M. Johnston, Ysgol y Llynges, HMS Conway, bron mor gyflym â Dewi ei hun, ac edrychai pawb ymlaen i weld y ddau'n ymgiprys. Fe ddois i adnabod Dewi ymhen blynyddoedd a dwi ddim yn meddwl imi gyfarfod neb mor hoffus erioed. Er iddo fod yn un o asgellwyr rygbi gorau'r byd y fo fyddai'r olaf i sôn am hynny. Arwr go iawn.

Doedd hogia Friars ddim yn arwyr i hogia Pesda fel rheol. I'r gwrthwyneb yn wir. Y gêm bêl-droed fawr ar ein calendr ni oedd honno yn erbyn hogia'r dref gyfagos. Ar brynhawn Mercher y cynhelid y gêm gartref a byddai'r ysgol gyfan yn cael gorffen un wers yn gynnar er mwyn cael ei gweld. Byddai pawb ar bigau'r drain trwy'r dydd a doedd fawr o ganolbwyntio ar wersi. Ymgasglai hogia'r tîm at ei gilydd bob cyfle a'r penderfyniad i leinio'r hen elyn yn amlwg. Arferai ambell un o'n genod ni ymgyfathrachu â'r gelyn ar nos Sadwrn ac felly roedd sawl hen gweryl i'w setlo. Awyrgylch ffeinal gêm gwpan bob amser. Dyma'r adeg i ddweud na fûm erioed mewn tîm a gollodd yn erbyn Friars!

Yr oedd rhyw deimlad o agosatrwydd wrth chwarae yn erbyn Brynrefail, Pen-y-groes, Botwnnog, Caernarfon, Pwllheli, Porthmadog, a hyd yn oed Amlwch a Llangefni. Hynny ydi, os oeddech chi'n baglu rhywun o fan'no mater o raid oedd o, a byddech yn ymddiheuro a chynnig help llaw i godi. Ond yn erbyn Friars, John Bright's a Beaumaris, os baglu rhywun wel ei sathru hefyd i wneud yn siŵr nad oedd yn codi'n rhy handi. Ysgolion 'posh', siarad Saesneg ar y cae aballu, oedd y rheiny. Roedd y lleill yn debycach i ni.

Un a ddôi i weld y Gêm Fawr — a gemau eraill hefyd, chwarae teg iddo — oedd Francis Pleming, gofalwr yr ysgol. Un da oedd Mr Pleming er ein bod yn tynnu'i goes yn ddidrugaredd yn aml. Roedd 'stafell y chweched, os medrech alw'r twll lle yn 'stafell, yn union uwchben y boeler gwresogi. Pan fyddai Mr Pleming yn rhofio côcs i'w fol dôi'r aroglau nwy glo mwyaf uffernol trwy'r llawr nes tagu pawb yn y 'stafell. Fe wnâi ati i rofio os oedd llond 'stafell ohonom. Ninnau wedyn yn neidio ar y llawr nes byddai calch nenfwd y seler yn disgyn fel eira ar ben Mr Pleming. Yntau'n dod i fyny o grombil y ddaear ac yn edrych fel petai wedi bod ar sgowt yn y North Pôl.

Un fantais o fod yn y 'stafell honno oedd ei bod yn llawn o hen bapurau y C.W.B. yn mynd yn ôl i ddyddiau William y Concwerwr. Gan nad oedd byth bapur yn nhoiledau'r ysgol byddai mynd garw ar bapurau gosod yr hen fwrdd arholi. Os dwi'n cofio'n iawn, 1907 oedd y flwyddyn orau gan i'r cwestiynau y flwyddyn honno gael eu rhoi ar bapur rhyfeddol o feddal. Dôi ambell flwyddyn arall, galetach o ran ansawdd gwneuthuriad, yn handi iawn os oedd rhywun wedi anghofio eu 'shin-pads' ffwtbol neu hoci.

Mae'r cyfeillion a wnes i drwy bêl-droed wedi parhau hyd heddiw. Byddaf yn cyfarfod rhywun o hyd a fu'n 'cicio gwynt mewn croen llo' ar yr un cyfnod ysgol â mi. Arfon Jones a Norman Williams (Pen-y-groes), John Alun a Dafydd Ifans (Pwllheli), Bruce Barnes (Botwnnog), John M ac Arwyn (Porthmadog), Eifion (Brynrefail). Cyd-aelodau yn nhîm ysgolion uwchradd yr hen Sir Gaernarfon. Clencar o dîm oedd hwnnw.

Ond yr oedd llwyfan arall yn denu ar yr un pryd. Fel y dywedais, yr oedd cymdeithas ddrama lewyrchus yn yr ysgol. Fe gyfieithodd Ieuan Llewelyn ddrama gan R. C. Sherriff, *The Long Sunset,* inni ei pherfformio. 'Y Machlud Maith', drama am y Rhufeinwyr a'r Brenin Arthur. Rhan Arthur ges i. Mae lluniau o'r cynhyrchiad yn dal gen i. Roeddwn i'n gwisgo tiwnig, y peth tebycaf a welsoch chi erioed i sgert-fini, a honno'n ddigon cwta i Pardoe gwyno ei bod yn rhy fyr!

Al Bobs, dyn y cwstard a'r camera, oedd Gawain. Tipyn gwell dyn camera nag actor yn enwedig pan oedd yn gorfod dweud y llinell 'Dwi'n dy garu di' wrth Helen, a hynny o flaen yr holl ysgol. Dechreuai gochi tua phedair tudalen cyn dweud y llinell ac erbyn iddi gyrraedd yr oedd fel tomato ar ddwy goes a'i lais wedi mynd yn ddistaw iawn.

Noson perfformio'r ddrama i'r rheini yr oedd hi'n bwrw eira'n drwm a chan ei bod yn amhosib' croesi'r llwyfan y tu ôl i'r set roedd rhaid mynd allan o'r neuadd, yn llythrennol, trwy'r ffenest ochr. Aeth Huw Brown, milwr

Rhufeinig smart iawn, a minnau allan drwy'r ffenest a dod yn ôl yn blu eira i gyd. Roedd hi'n haf poeth yn y stori!

Er mwyn rhoi'r argraff bod yr haf poeth wedi gadael ei liw ar ein crwyn bu'n rhaid rhoi tipyn go lew o grefi brownin ar y coesau. Mae rhai yn dweud i Phil (Watts) adael y lliw dros nos er mwyn creu argraff gontinental ar gyfer genod Ysgol Brynrefail a oedd acw y bore Sadwrn dilynol. Do, cafwyd tipyn o sbri wrth wneud 'Y Machlud Maith'.

A byddai sbri hefyd yn y 'Caban' ar nos Wener. Ni'n hunain a drefnai'r nosweithiau hynny fel rheol. Dadl, Noson Lawen, ffilm. Un o'r rhai mwyaf difyr dwi'n gofio oedd y noson y gwnaethom 'This Is Your Life' o John Morgan. Bu'n rhaid cadw'r cyfan yn hynod gyfrinachol rhag i John amau dim. Cafwyd sawl hen gariad iddo i ymddangos, a hyd yn oed dafad, wedi'i chytundebu'n arbennig o gae Pant Dreiniog. Bu'n hir iawn yn maddau inni am y tric er iddo fod mewn hwyliau rhyfeddol o dda ar y noson.

Un o'r nosweithiau mawr oedd noson Pasiant y Pasg yng Nghapel Jerusalem, Bethesda. Gwenlyn a Wil John Davies a luniodd y sgript a Ken Evans a drefnodd y côr.

Yr oedd Ken wedi trefnu darnau o'r 'Messiah' ar gyfer tri llais — soprano, alto, bariton. Genod o'r ysgol, Helen Penbryn, Alwen Tŷ Lôn, a Pat Maes Ogwen a ganai'r unawdau, a chôr adrodd yn cyplysu'r darnau cerddorol ynghyd â golygfeydd drama. Fe'm castiwyd i gan Gwenlyn fel Crist. Y fo felly, medda fo, a roddodd y 'big break' imi!

Wrth ymarfer defnyddiai Gwenlyn enwau'r cymeriadau

yn hytrach na'n henwau ni'n hunain — rhag creu conffiws. Un gyda'r nos, a hithau'n nesu at noson y perfformiad, yr oedd ymarfer yn y capel. Roedd gen i ryw chwarter awr nes y byddai fy angen i wneud golygfa gardd Gethsemane. Ar y pryd yr oeddwn yn cyboli â Linda, Linda Barnett, merch siop 'sgidiau yn y pentref. Hi oedd yn actio gwraig Peilat. Dyma'r ddau ohonom yn mynd i drafod gwaith cartref yn llofft y capel.

Rhaid bod y sgwrs yn felys oherwydd fe anghofiwyd popeth am yr olygfa i'w hymarfer. Roedd Gwenlyn yn flin ac yn holi ble'r oedd Crist a Gwraig Peilat. Dywedodd Heddwyn o Rachub, a oedd yn actio Bugail 2, ein bod yn llofft yr organ. Rhuthrodd Gwenlyn i mewn a dal Crist a Gwraig Peilat ym ymddiddanu. Gyda'r llinell anfarwol, 'Dos i lawr i'r ardd 'na i weddïo, y diawl bach!' rhoddodd flaen ei droed dan fy ngwenwisg a 'ngwthio drwy'r drws. Adroddodd Gwenlyn y stori yna — a sawl un arall — lawer gwaith mewn llawer parti.

Yr oedd y Pasiant yn llwyddiant ysgubol. Cynulleidfa o dros fil yn codi ar ei thraed yn sŵn agorawd yr organ i gytgan yr 'Haleliwia'. Ieuan Llewelyn oedd yr organydd.

Defnyddiwyd recordiad o'r côr am rai wythnosau wedyn ar y radio a bu sôn am y noson am flynyddoedd. Roedd cryn dipyn o dalent yn yr ardal ac yn yr ysgol yn y cyfnod hwnnw.

Gwenlyn a gynhyrchodd y noson deyrnged i ddau o gyn-ddisgyblion yr ysgol, sef Emrys Edwards, Bardd y Gadair, a Caradog Prichard, Bardd y Goron a'r Gadair. Yr oedd *Un Nos Ola Leuad* newydd ei chyhoeddi a golygfeydd o'r nofel a ddewisodd Gwenlyn i'w dramateiddio.

Yn ddiddorol iawn, doedd y nofel, er mor wych, ddim wedi cael croeso brwd ym Methesda. Roedd pobl y capeli'n dweud y drefn am fod ynddi sôn am ryw ac am ddyn yn 'dangos ei bidlan'. Felly, doedd y nofel fwyaf yn yr iaith Gymraeg ddim yn cael lle anrhydeddus ar ei silff ei hun — rhywbeth hynod o gul a nodweddiadol Gymreig wrth gwrs.

Eistedd ar gongl y pulpud yn 'dweud y stori' roeddwn i, a llif o olau lleuad ar fy wyneb. Roedd rhimyn o'r golau yn taflu ar wyneb Caradog ac anghofia i byth mo'i wên fawr a'r dagrau'n powlio i lawr ei foch. A dyna ydi *Un Nos Ola Leuad*, nofel sy'n gwneud ichi chwerthin drwy'ch dagrau a chrio drwy'ch chwerthin.

Ar ddiwedd y noson daeth Caradog ataf a gofyn a oeddwn wedi ystyried mynd i RADA. Doeddwn i 'rioed wedi clywed sôn am y lle. Yn wir, meddyliais mai garej oedd hi. Esboniodd Caradog mai Coleg Drama yn Llundain oedd RADA a dywedodd y cawn lety hefo fo a Mattie petawn i'n penderfynu mynd yno.

Na, doeddwn i 'rioed wedi meddwl am yrfa fel actor. Roeddwn i â'm bryd ar yrfa bêl-droed, ac roedd sgowtiaid Nottingham Forest a Sunderland wedi bod yn galw acw. Am imi fynd i goleg yr oedd 'Nhad ac felly doedd acw fawr o groeso i'r sgowtiaid. Popeth yn iawn mynd i chwarae ar ôl gadael coleg ond roedd eisiau cwalifficesions gyntaf! Pan awgrymodd Nottingham Forest y gallwn gyfuno'r ddau beth yr oedd 'Nhad yn dal yn amheus. Mae'n siŵr gen i mai y fo oedd yn iawn. Er i mi feddwl y gallaswn fod wedi gwneud gyrfa ohoni y mae degau o rai hefo tipyn mwy o dalent nag oedd gen i wedi methu, a hynny ar ôl gadael ysgol i fynd yn brentis at ryw glwb neu'i gilydd.

Un arall a oedd yno'r noson honno ac a ameniodd syniad Caradog oedd yr Athro Syr Idris Foster, yntau'n gyn-ddisgybl o Ddyffryn Ogwen. Rhywbryd yn ystod y noson fe drefnodd Mr Pardoe, y prifathro, i Syr Idris ddod i ymweld â'i hen ysgol i roi darlith. Daeth y diwrnod hwnnw, ac ar ôl cinio dyma Pardoe yn fy ngyrru o gwmpas pob dosbarth i holi faint o'r disgyblion a fwriadai ddod i'r ddarlith am bedwar o'r gloch. Pan ddois i'n ôl a dweud mai dim ond naw — naw o'r chweched — aeth yn wallgo' bost. Ffoniodd 'Purple Motors' i ddweud nad oedd angen bysiau'r ysgol tan bump ac fe'm gyrrodd o gwmpas wedyn i ddweud bod gorfodaeth ar bawb i ddod.

Yr oedd hen neuadd yr ysgol yn orlawn a'r llenni i gyd wedi'u cau gan fod Syr Idris yn mynd i ddangos sleidiau o Rydychen. Ar ôl rhyw ddau funud o'r ddarlith fe groesodd Syr Idris ar draws y llwyfan er mwyn pwyntio at rywbeth yn y llun sleid ar wal gefn y neuadd ond, yn anffodus, fe faglodd ar draws y bocs sleidiau a sgrialu ar ei hyd. Daliodd pawb eu gwynt hyd nes i rywun yn y cefn fethu â dal dim mwy a rhoi bloedd o chwerthin. Torrodd yr argae a llifodd môr o chwerthin dros y lle am hydoedd lawer. Roedd Pardoe yn neidio i fyny ac i lawr yn ei gynddaredd ac yn gwneud pethau'n waeth o lawer. Roedd Syr Idris ei hun yn chwerthin yn ei ddyblau ac wedi ennill ein calonnau yn sgil hynny. Pan ddiweddodd ei ddarlith cafodd gymeradwyaeth fyddarol.

Gwenlyn, ynghyd â Wil John Davies, a drefnodd y trip i 'Steddfod Llangollen, trip a fu'n destun sawl stori arall i Gwenlyn ymhen blynyddoedd. Diwrnod o haf bendigedig a phawb mewn hwyliau da pan gychwynnodd y bws. Cyn cyrraedd pen y Stryd Fawr roedd ambell un o'r hogia wedi mynd i eistedd at ei 'fodan' ac ambell un arall wedi tanio Wdbein yn slei yn y seti cefn.

Cododd Wil John ar ei draed tua phen Llyn Ogwen a gwahanu'r cariadon a rhoi ordors nad oedd arno ddim eisiau gweld mwg yn codi yn y cefn.

Dyma gyrraedd a chael mwy o ordors. Roedd pawb i fod yn ôl yn y bws erbyn wyth o'r gloch a dim hel tafarnau! Dyma griw ohonom yn gwylio Gwenlyn a Wil John yn ei 'nelu hi'n syth am yr Hand Hotel ac felly fe aethon ni i gaffi arall. Yn y pnawn dyma fynd i'r maes a gweld côr o genod ifanc o Sweden yn ymarfer y tu allan i'r babell. Welais i ddim cymaint o bishys hefo'i gilydd erioed. Dyma fynd yn nes i wrando a dechrau siarad hefo nhw. Roedd amryw yn medru Saesneg, ac roedd gen innau air neu ddau. Diwedd y gân, yn llythrennol, fu i un ohonynt a minnau fynd am dro i gyfeiriad Castell Dinas Brân, ac erbyn i mi gyrraedd yn ôl i'r maes parcio — tua naw — roedd y bws wedi mynd! Mae'n debyg iddynt aros amdanaf am gryn dri chwarter awr (aros am Gwenlyn a Wil John am hanner awr) a phenderfynu bod hynny'n hen ddigon.

Roedd Gwenlyn — neu felly roedd o'n dweud wedyn — yn poeni'n arw sut yr eglurai wrth Pardoe ei fod wedi colli un o'r disgyblion. Nid un o hoff ddisgyblion y prifathro mae'n wir, ond disgybl serch hynny. Penderfynodd beidio â dweud dim y noson honno ond aros tan y bore. Daeth i'r ysgol yn gynnar drannoeth, a phwy oedd wrth ddrws yr ysgol ond y disgybl colledig a oedd wedi cael lifft mewn lori yn y bore bach a heb gael amser i fynd adref. Ddyweda i ddim sut sgwrs fu rhyngom ond fe orffennodd hefo dau joli iawn — am wahanol resymau.

Fy hoff stori ysgol am Gwenlyn ydi honno amdano'n paratoi gwers Wyddoniaeth efo 1C gan wybod y byddai un o Arolygwyr Ei Mawrhydi yn bresennol y bore hwnnw. Bu wrthi'n ddygn y noson cynt yn cynllunio arbrawf cymhleth i ddangos sut roedd creu trydan hefo dŵr. Yr oedd wedi gosod popeth yn barod a thaenu lliain gwyn drosto rhag i'r dosbarth gael golwg ymlaen llaw.

Eisteddai pawb yn gymharol dawel a'r Arolygwr yn y cefn. Tynnodd Gwenlyn y lliain a mawr fu'r rhyfeddu. Dyma ddweud ei fod am wneud 'magic' ac aeth at y tap dŵr a'i droi ymlaen. Hwnnw'n troi olwyn ac olwyn arall hyd nes i'r bylb ar ben draw'r arbrawf oleuo. Cafodd gymeradwyaeth gan y dosbarth ond aeth pawb yn reit ddistaw pan ofynnodd y cwestiwn:

'Reit, ta, pwy fedar ddeud wrtha i pam fod y bylb wedi goleuo?'

Edrychodd o gwmpas a gweld pawb yn hollol ddi-glem. Yn sydyn, saethodd llaw un o'r hogia i fyny. Gwelwodd Gwenlyn. Doedd yr hogyn hwnnw erioed wedi ateb cwestiwn yn ei fywyd ond yr oedd rhyw fath o ymateb yn well na dim.

'Ia?'

'Welis i lwynog ddoe.'

Aeth y lle'n ferw gwyllt.

'Paid â'u malu nhw . . .'

'Yn lle?'

'Pyh . . . rybish.'

A dyna hi'n drafodaeth ar lwynogod yn y fan a'r lle.

Mae'n debyg i'r Arolygwr ei hun ddysgu llawer y diwrnod hwnnw.

Yr oedd llwyfan arall. Fe drefnwyd i dîm o dri ohonom, sef Gwyn Parry, Huw John Hughes a minnau, gynrychioli'r ysgol mewn Ymryson Siarad Cyhoeddus i Ysgolion Uwchradd yng Ngholeg y Brifysgol, Bangor. Ymgiprys am anferth o garreg, 'Peblen Demosthenes'.

Yr oedd Neuadd Powys y coleg yn llawn, a'r rhan fwyaf o'r gynulleidfa'n fyfyrwyr, ac yn heclo. Cyn hynny fûm i 'rioed mor nerfus cyn mynd ar lwyfan (dwi wedi bod wedyn) ond cafodd y tîm gychwyniad da gan Huw John, siaradwr huawdl hyd y dydd heddiw, a chan Gwyn, yntau ddim yn brin o air neu ddau, a llwyddais innau i gloi pen y mwdwl yn weddol. Daeth y Dr Sam Jones a Ruth Price o'r BBC i'r ysgol i ailgyflwyno'r beblen i ni ac mae llun o'r achlysur yn rhywbeth dwi'n ei drysori'n fawr.

Bu'r llwyfannau i gyd yn ysgol feithrin ar gyfer yr hyn oedd i ddod. Ond wyddwn i mo hynny ar y pryd.

Yr Un Hen Gân . . .

> *Wele cawsom yn Siop Dreflan*
> *Gacan bwdin ora 'rioed;*
> *Chafodd Moses na'r Proffwydi*
> *Gacan debyg iddi 'rioed;*
> *Cacan yw, ia, wir Dduw,*
> *Cacan gyraints hefo dau wy dryw.*

Dyna'r gân a floeddiem ar fws tîm ffwtbol yr ysgol. A dyna'r un roeddwn i'n ganu rhyw ddiwrnod wrth helpu Yncl Huw i balu'r ardd. Bu'n gwrando arna i am sbel cyn gofyn,

'Be 'di honna 'ti'n ganu?'

'Cân tîm ffwtbol yr ysgol, Yncl Huw.'

'Naci, sti . . .'

'Wel, ia . . .'

'Tyrd i'r tŷ hefo fi am funud.'

Dyma fynd am ddrws cefn Carreg y Bedol. Tynnu'n 'sgidiau yn y drws ac Yncl Huw'n rhoi ordors am ddwy baned o de i Anti Meri Jên. Dywedodd wrtha i am fynd i eistedd yn y parlwr cefn tra byddai o'n swlffa mewn rhyw gwpwrdd. Toc daeth yn ei ôl a thún yn ei law, tún crwn fel tún teisen, un melyn a du. Doedd dim caead arno a gwelwn ei fod yn llawn o bapurau a rhyw lyfrau bychan.

'Am hwn oeddet ti'n canu, sti.'

'Yh?'

A dyma fo'n dweud y stori. Yn ystod Streic Fawr

Chwarel y Penrhyn, un a barodd am dair blynedd, 1900—1903, daeth newyddiadurwyr o bob cwr i Fethesda. Daeth un o'r *Times*, ac adroddiad trist iawn am enbydrwydd tlodi'r sefyllfa oedd yr un a sgrifennodd o ar ddechrau 1902. Darllenwyd ei adroddiad gan berchennog ffatri bwdinau yn Ashton-under-Lyne a chymaint oedd yr argraff a wnaed arno nes iddo anfon llond lori o'i bwdinau i Fethesda i'w rhannu ymysg y streicwyr. Cyfansoddwyd pennill i gofio'r achlysur.

> *Wele cawsom ym Methesda*
> *Bwdin gora wnaed erioed;*
> *Wyddai Young nac Arglwydd Penrhyn*
> *Ddim amdano cyn ei ddod;*
> *Pwdin yw, Du ei liw,*
> *Gora brofodd neb sy'n fyw.*

Bron i drigain mlynedd yn ddiweddarach yr oeddwn i'n canu fersiwn newydd o'r hen bennill.

Yn y tún yr oedd dyddiaduron Taid o gyfnod y streic a darnau o'r *Herald* a phapurau eraill y cyfnod. Roeddwn i wedi fy nghyfareddu hefo'r stori ac yn y tŷ y bûm i weddill y diwrnod yn darllen pob dim.

Pan ddaeth Yncl Huw yn ôl i'r tŷ o'r ardd dyma fi'n gofyn iddo a fuaswn i'n cael y tún a'i gynnwys. Dywedodd y cawn i nhw 'ar ei ôl o', ond mae'n gas gen i ddweud na welais i mohonyn nhw wedyn. Pan fu Yncl Huw farw aeth y cyfan i ebargofiant. Mae hynny'n fy nghorddi o hyd. Er cymaint o ddeunydd sydd ar gael yn yr archifdy yng Nghaernarfon ddaeth yr un tún pwdin yno. Byddai'n haeddu lle mewn cas gwydr. Ynghyd â dyddiaduron Taid.

Ond fe ddechreuodd y diddordeb yn yr hanes, a hanes

y diwydiant llechi, sydd wedi para hyd y dydd heddiw ac a ddaeth i'w benllanw wrth wneud y gyfres 'Hogi Arfau'. Diolch i Emlyn Davies, un o ardal Llanberis, am rannu'r un diddordeb a rhoi'r rhaglenni, a'r hanes, ar gof a chadw.

Braint hefyd i mi yn ystod y rhaglenni oedd cael sgwrsio â chymaint o hen chwarelwyr am eu profiadau a rhannu eu hiwmor. Yr oedd hwnnw'n byrlymu trwy sgwrs pob un ohonynt. Nid sôn am job o waith roedden nhw mewn gwirionedd ond sôn am gymdeithas, am ffordd o fyw a oedd yn gymaint rhan o'm plentyndod. Braint arall oedd cael holi'r Athro Merfyn Jones gan imi fod yn pori cymaint yn ei lyfr arbennig ar hanes y Diwydiant Llechi.

Cyn i Yncl Huw ddweud y stori doedd y chwarel yn ddim ond lle yr oedd fy nhad, a thad y rhan fwyaf o'r rhai roeddwn i'n 'nabod, yn digwydd gweithio yno. Pan symudodd 'Nhad o'r 'Twll' i weithio yn y Gwaith Llwch pan oeddwn i tua deg oed byddwn yn cael mynd hefo fo weithiau ar fore Sadwrn ac yn teimlo'n ddyn o orfod codi mor gynnar a cherdded i Dregarth i ddal y bws. Byddai Vic, mab Persi'r Ffitar o Lasinfryn, yn dod hefyd a byddai'r ddau ohonom yn crwydro o gwmpas y siediau gwag. Dim ond y Gwaith Llwch oedd ar fynd ar Sadyrnau yr amser hynny. Ond daeth y lle i olygu llawer mwy i mi.

Gwn fy mod i wedi cael sgrifennu drama gyfres am y Streic Fawr ar gyfer y radio ond un ar gyllideb ryfeddol o fychan oedd honno. Dwi'n meddwl ei bod hi gymaint stori, a chystal stori, fel y dylid gwneud cyfres deledu ohoni. Nid un fel 'Chwalfa' T. Rowland Hughes, er cystal oedd honno yn ei dydd, ond cyfres ddrama/ddogfen go iawn. Cofiaf weld 'Germinal' Emile Zola flynyddoedd maith yn ôl a gweld y posibiliadau.

Ar ôl iddo chwarae rhan yr Arglwydd Penrhyn yn y gyfres radio ceisiodd yr actor Don Henderson fy mherswadio i'w chynnig yn Saesneg i BBC2. Yr oedd yn fodlon dod hefo mi i weld yr awdurdodau perthnasol. Ond stori i *ni* ei gwneud ydi hi. Ni pia hi.

Fe roddwyd cynnig arni. Wel, os dyna'r gair priodol. Cafodd awdur y mae gen i barch mawr iddo, fel sgrifennwr ac fel person, y Sais o Swydd Efrog, Barry Hines, gomisiwn gan S4C i sgrifennu'r sgript. Yr oedd i gael ei chyfarwyddo gan ddyn o Ganada, Stephen Bayly. Treuliais wythnos yng nghwmni Barry Hines (awdur y nofel a'r sgript ffilm *Kes* a llyfrau fel *The Price of Coal* am helyntion y diwydiant glo yn Swydd Efrog) a daeth y ddau ohonom yn dipyn o ffrindiau. Yn un peth yr oedd yn gynbêl-droediwr hefo Sheffield Wednesday! Yr oedd Rhys y mab yn astudio *Kes* ar gyfer ei Lefel-O a da oedd cael sgwrs hefo'r awdur!

Ond doedd gan Barry, ar ei gyfaddefiad ei hun, ddim syniad am y stori. Doedd o 'rioed wedi clywed sôn am y streic cyn cael cynnig y comisiwn. Dydyn nhw ddim yn cael dysgu Hanes Cymru yn Lloegr.

Rhoddais bob darn o wybodaeth a feddwn iddo, gan gynnwys llyfr a drysorwn, un a fu'n eiddo Taid, sef llyfr W. J. Parry, *Penrhyn Lock-Out*. Y noson cyn iddo fynd yn ôl am adref aethom am bryd o fwyd i Gaernarfon. Yn sydyn, ar ganol y pryd, dyma fo'n rhoi'i gyllell a'i fforc o'r neilltu a dweud, *'I don't know what the hell I'm doing in Wales. This is your story. One of you should be doing it.'*

Diolch am ei onestrwydd. Ond comisiwn ydi comisiwn

ac aeth ymlaen i sgrifennu'r peth salaf a sgrifennodd erioed yn ôl ei dystiolaeth ei hun. Welodd y cynhyrchiad erioed olau camera. Efallai y dylwn fod wedi dweud mai Colin Welland a gafodd y cynnig cyntaf gan S4C! Iawn, efallai, petai eisiau sgrifennu am rygbi Cymru, ond Streic Fawr Chwarel y Penrhyn? Er cystal sgwennwr ydi Welland, sgersli bilîf. Dyna pam y gwrthododd o'r cynnig, debyg.

Y noson pryd bwyd hefo Barry Hines ac yn union ar ôl iddo ddweud y geiriau a ddyfynnais uchod fe adroddais stori wrtho i geisio esbonio pam ei fod o wedi cael gwahoddiad i sgrifennu. Pan oeddwn i yn y chweched dosbarth yr oedd y tîm pêl-droed yn un o'r rhai gorau a fu erioed yn hanes yr ysgol — wedi mynd dymor a hanner heb golli. Ond doedd yr un ohonom yn chwarae i dîm y pentref. Roedd pedwar wedi arwyddo i Fangor ond neb i Fethesda.

Cyn dechrau tymor newydd y 'Welsh League' dyma wahoddiad i ni fel tîm i roi gêm ymarfer i dîm y pentref. Hogia o'r 'Wirral and Beyond' oedden nhw i gyd ac felly eisiau dod i 'nabod ei gilydd cyn i'r tymor ddechrau. Yr oedden ni yn newid yn y 'Visitors Dressing Room' a'r petha o ffwrdd yn 'stafell yr 'Home Team'.

Ychydig funudau cyn dechrau cafwyd ymweliad gan aelod o'r pwyllgor lleol ac fe ddywedodd rywbeth tebyg i hyn: 'Diolch yn fawr am droi i fyny, hogia. Dwi 'di deud wrth tîm ni am beidio'i chymryd hi ormod o ddifri. Cadw'r sgôr lawr i rispectabiliti . . . mae 'na growd dda 'ma.'

Doedd dim angen mwy o ysbrydoliaeth! Wrth reswm pawb wnaeth y creadur ddim meddwl am funud mai wedi dod i'n gweld ni, yr hogia lleol, yr oedd y 'growd dda'. Honno oedd y dyrfa orau a gafwyd ar Barc Meurig drwy'r tymor, decini.

Ar ôl dim ond deng munud wele'r 'visitors' lleol ar y blaen o ddwy gôl ac yn gwneud i'r Wirralites drudfawr edrych yn bethau digon cyffredin. Dyma nhw'n dechrau rhychu a baglu a chwyno. Yn ffodus, yr oedd dau neu dri o rychwrs 'tebol iawn — o rai mor ifanc — yn ein tîm ninnau a buan y rhoddwyd stop ar eu hantics. Ninnau'n mwynhau ein hunain yn fawr a'r 'growd dda' yn ein hannog na fu 'rioed rotsiwn beth. I dorri stori hir yn fyr, y canlyniad oedd ennill o bedair gôl i un.

Mae 'na ddameg yn fan'na'n rhywle ac fel cyn-chwaraewr pêl-droed ac awdur llyfrau a chyfres neu ddwy ar y gêm roedd Barry Hines yn deall hynny'n iawn.

Fawr o Academig

Ffwtbol, athletics, tennis, drama, côr, genod . . . bywyd llawn iawn oedd bywyd yn yr ysgol. Bywyd i'w fwynhau. Dyna pam mae'n debyg na fu fawr o lewyrch gwirioneddol ar fy ngyrfa academaidd. Fe basiais wyth pwnc yn fy Lefel-O a chael marciau pur uchel yn y Gymraeg a'r Saesneg. Yr oeddwn i'n hynod o ffodus fod athro Daearyddiaeth o'r enw Dafydd Orwig wedi cyrraedd erbyn i mi orfod dewis pynciau Lefel-A. Gan fod Rhys Gwynn (Saesneg) a Wil John Davies (Cymraeg) cystal, fedrai yr un disgybl ofyn am dri athro gwell. Nid eu bai nhw oedd ei ddiffyg ymdrech os nad ei ddiffyg gallu.

Fel y dywedais yn ystod fy araith yn Eisteddfod yr Urdd, Bethesda yn 1984, y mae gen i barch aruthrol at Dafydd Orwig, fel athro a Chymro. Mae Daearyddiaeth, fel Hanes, yn bwnc y medrwch ei fwynhau. Rhaid gweithio'n galed i ddysgu'r ffeithiau ond maent yno i'w mwynhau. Dwi'n gweld hynny rŵan wrth reswm pawb ond doeddwn i ddim bryd hynny.

Dwi wedi bod erioed yn un sy'n euog o fyw ar ei wits yn hytrach na gwneud y gwaith cartref angenrheidiol ymlaen llaw. Dyna pam mae'n debyg fod yn gas gen i ymarfer drama a pham mae'n well gen i gyfrwng 'munud hwnnw' ffilm yn hytrach na llwyfan. Diogi cynhenid ydi o.

Er i'm hathrawon grefu a dwrdio ychydig iawn o waith

caled a wnes i ar gyfer fy Lefel-A ac, o ganlyniad, er imi basio'r tri doedd y graddau ddim digon da i mi gael mynd i'r Brifysgol ym Mangor. Buaswn yn hedfan i mewn yno heddiw hefo'r graddau hynny, a salach. Doedd gen innau ddim awydd mynd i goleg arall am nifer o resymau. Cyflwr iechyd Mam a 'Nhad oedd un ohonynt. Efallai nad oeddwn yn ddigon hyderus aeddfed i feddwl gadael cartref chwaith petai hi'n dod i hynny. Y fi oedd yr ieuengaf yn y dosbarth ac yn bihafio felly'n aml. Oherwydd fy mod yn cael fy mhen-blwydd ar ôl y cyntaf o Ebrill cefais chwarae pêl-droed a chystadlu mewn athletau dan dair ar ddeg, a than bymtheg, pan oedd gweddill hogia'r dosbarth yn gorfod cystadlu yn erbyn y rhai hŷn.

Fe ddyl'swn, os oedd iechyd fy rhieni yn fy mhoeni, fod wedi gweithio'n galetach ond wnes i ddim. Buaswn, o leiaf, yn cael cymhorthdal mewn coleg ond rŵan byddwn yn faich ariannol diangen am flwyddyn arall.

Roedd gorfod mynd yn ôl i'r ysgol yn dipyn o ergyd i'r ego ond fe fu'n sbardun i weithio. Wnes i 'rioed weithio'n galetach nag a wnes i'r flwyddyn honno. Wnes i 'rioed ddarllen cymaint chwaith. Darllenwn bopeth y medrwn gael gafael arno. Rhyw bythefnos cyn dechrau'r arholiadau dywedodd Rhys Gwynn wrtha i am fynd allan bob nos i chwarae tennis rhag i'r gwaith caled fod yn ormod o sioc i'r system! A dyna wnes i. Mwynhau fy hun. Yr oedd y gwaith wedi'i wneud dros y gaeaf a'r gwanwyn ac, wrth gwrs, fe ddylwn fod yn ei wybod ar ôl tair blynedd.

Yn y gwasanaeth boreol ar y diwrnod olaf o bob tymor haf roedd yn arferiad i ni gydganu 'Dan dy fendith wrth ymadael'. Gwyddwn y tro yma, beth bynnag a fyddai canlyniadau'r arholiadau, fy mod yn ei ganu am y tro olaf yn Ysgol Dyffryn Ogwen. Ac felly y bu. Cefais raddau da iawn a byddwn yn mynd i'r Coleg ar y Bryn yn yr hydref.

Cyn hynny yr oedd yn rhaid cael arian ac am yr ail haf yn olynol i ffwrdd â fi i'r chwarel i ddreifio dympar a labro. I wneud fy 'isrif' roedd yn rhaid llwytho naw tunnell o faw o'r siediau. Gwyddai'r hogia mai yno i hel arian i fynd i'r coleg yr oeddwn i ac felly cawn bob cymorth i gael yr arian hwnnw o groen McAlpines, perchnogion y chwarel erbyn hyn.

Cefais help i godi lwmp hanner tunnell a'i wejio yng ngwaelod y dympar. Wedyn, ei guddio reit handi hefo baw mân a mynd â'r dympar draw at y Cwt Pwyso. Yncl Wil Chips, un o Fangor, oedd y goruchwyliwr yn fan'no ac fe wyddai'n burion am y lwmp wejiedig a'i bwrpas a byddai hefyd yn rhoi pwys neu ddau dros ben imi. Mynd â'r llwyth wedyn i'w wagio dros y domen a chymryd y ffordd gefn yn ôl i'r sied. Cuddio'r lwmp eto, ac felly ymlaen. Byddai'r isrif wedi'i gyrraedd erbyn pnawn Mawrth ac wedyn roedd pob llwyth ar ôl hynny yn fonws. Roeddwn i'n gwneud mwy o gyflog na 'Nhad ac yntau wedi bod yno cyhyd.

Os bychan o gorffolaeth, yr oeddwn i'n hogyn reit abl ac fe wnaeth y labro fyd o les i'm ffitrwydd i.

Bob pnawn Gwener byddwn yn dreifio'r dympar draw am y Gwaith Llwch i gael paned dri hefo 'Nhad. Es draw yno fodd bynnag un pnawn Mercher ac, yn ôl fy arfer gan ei bod yn amser paned, mynd yn syth am y cwt. Roedd y rhan fwyaf o'r hogia wedi cyrraedd ond doedd dim golwg o 'Nhad. Dywedodd Condobondo ei fod yn dal wrth ei waith.

Pan es i mewn i'r adeilad llychlyd fe'i gwelwn o'n eistedd ar flocyn pren. Roedd y chwys yn llifo o'i dalcen a golwg wedi llwyr ymlâdd arno. Wedi bod yn llwytho lori ar ei ben ei hun yr oedd o. Roedd dau yn brin yn y gwaith y diwrnod hwnnw. Tri chant o fagiau, yn pwyso cant yr un, eu codi a'u rowlio ar dryc fel tryc portar stesion, eu tynnu oddi ar y tryc, a'u gosod mewn trefn ar y lori. Tri chant o siwrneion.

Roeddwn i'n gynddeiriog ac fel roeddwn i'n dweud y drefn daeth un o reolwyr McAlpine i mewn a dweud bod lori arall yn disgwyl i gael ei llwytho. Cyn iddo orffen dweud y frawddeg fe gafodd slaes nes roedd ar ei hyd ac fe gafodd sawl un arall cyn i 'Nhad a rhywun fy nhynnu oddi arno. Dwi ddim yn meddwl imi erioed wylltio cymaint. Er bod gen i wythnos a hanner arall i fynd ces fy nghardiau yn y fan a'r lle.

Roedd y digwyddiad wedi ysgwyd fy nhad yn o arw. Er iddo gyfaddef wedyn fy mod yn llygad fy lle i golli 'nhymer roedd y ffaith fy mod i wedi rhoi clec i fforman — a fyddai'n dal yn fforman arno wedi i mi adael — yn ei boeni. Ond wyddai o ddim na fyddai yntau chwaith yn y chwarel ar ôl yr wythnos honno.

Es i nôl fy nghardiau a'r cyflog oedd yn ddyledus imi tuag un ar ddeg drannoeth. Roedd 'Nhad wedi gofyn y noson cynt a fuaswn i'n galw heibio'r Gwaith Llwch i ymddiheuro i'r fforman — ymddiheuro am ei daro nid am y rheswm dros wneud hynny. Ond doeddwn i ddim yn bwriadu gwneud. Dywedodd Mam wrtha i cyn imi gychwyn am y chwarel drannoeth y byddai 'Nhad yn dawelach ei feddwl pe bawn i, rywsut, yn medru dweud 'sori'.

Ar ôl cael fy nghyflog o'r Offis Fawr, a chael gwybod gan oruchwyliwr o Sais Macalpeinaidd fy mod i'n lwcus na alwyd yr heddlu dyma fynd draw am y Gwaith Llwch. Roeddwn i rhwng dau feddwl ynghylch yr ymddiheuro o hyd. Dibynnai'n llwyr ar sut y byddai'r dyn yn ymddwyn hefo mi. Os dywedai o 'sori' am y ffordd yr oedd o wedi trin 'Nhad, iawn, fe ddywedwn innau 'sori'.

Roedd carafán *Mass X-ray Unit* ar ymweliad â'r chwarel ac wedi'i pharcio ar gyrion y Gwaith Llwch. Penderfynais arbed siwrnai i Fangor drwy fynd am arolwg gan y byddwn angen archwiliad meddygol o'r fath cyn mynd i'r coleg.

Es draw wedyn at 'Nhad a dweud wrtho am fynd am archwiliad. Na, doedd o ddim yn mynd i rwdlan, wir. Dyma finnau'n dweud yr awn i ymddiheuro os âi o am *X-ray* ar ei 'sgyfaint. Fel arall, wnawn i ddim. Yn anfodlon iawn yr aeth o am y garafán, a minnau hefo fo i wneud yn siŵr ei fod yn mynd.

Cyn diwedd y noson honno roedd o yn Ysbyty Bryn Seiont yng Nghaernarfon yn cael triniaeth am *pneumoconiosis*.

Fu dim rhaid i mi ymddiheuro. Ddôi 'Nhad byth yn ôl i'r chwarel.

Be' 'di ystyr 'Sling'?

Gan fod Sling mor agos i Fangor penderfynais fyw gartref yn hytrach na byw yn un o hostelau'r coleg. O edrych yn ôl dwi'n meddwl mai camgymeriad oedd hynny. Er imi ddegau o weithiau aros dros nos hefo cyfeillion ym Mangor dwi'n meddwl imi golli llawer trwy beidio ag ymdoddi'n llwyr i 'fywyd coleg'. Mae gen i syniad y buaswn wedi gweithio'n galetach hefyd pe bawn wedi mynd i hostel.

Ar y diwrnod cofrestru roedd raid mynd at fwrdd yr Adran Saesneg a'r Adran Gymraeg i gael sgwrs. Wrth y bwrdd Saesneg bu cryn drafod a fyddwn i'n cael dilyn y cwrs Anrhydedd gan nad oedd gen i Ladin Lefel-O. Yr un a ddywedodd y cawn, oherwydd fy mod wedi gwneud papur Lefel-A ychwanegol ar Lenyddiaeth Saesneg ac wedi cael marc go uchel yn y cwestiynau ar Shakespeare, oedd yr Athro Danby. Wn i ddim ai y fo a farciodd y papur ond yr oedd yn arbenigwr ar y pwnc ac yn un o'r dynion mwyaf galluog, a lliwgar, yn y coleg. Am ryw reswm fe gymerodd ata i a byddai'n codi'i ffon fel 'helô' pan welai fi ar goridorau'r coleg. Dim ond dau Gymro Cymraeg oedd yn gwneud Saesneg, sef Richard Elfyn Jones, mab fy nghyn-weinidog J. Gwynn Jones, a minnau.

Yr oedd y sgwrs wrth y bwrdd Cymraeg yn dra gwahanol. Yn un peth fe'm holwyd am fy achau! Doedd gan y Saeson ddim diddordeb o bwy nac o ble yr oeddwn wedi dod, ond yma roedd diddordeb ynof fel person ac fel myfyriwr. Yr oedd anwyldeb yr Athro Caerwyn Williams yn amlwg yn ei wên, a chroeso Bedwyr Lewis Jones a John Gwilym Jones yn gynnes. Gwyn Thomas a'i wên a'i chwerthiniad, y Dr Geraint Gruffydd a'i anwyldeb, yn gwneud i mi deimlo'n gartrefol yn syth. Y peth cyntaf a wnaeth Miss Enid Pierce Roberts oedd gofyn a wyddwn i beth oedd ystyr y gair 'Sling'. Atebais fod fy nhad yn dweud mai pentref mewn fforch rhwng dwy hen ffordd Rufeinig oedd o. Gwenu a wnaeth Miss Roberts a dweud mai ystyr y gair yn ôl Syr Ifor Williams oedd 'darn o dir'. Un o Dregarth oedd Syr Ifor ac felly mae'n debyg mai fo oedd yn iawn!

Dewisais wneud Athroniaeth yn bwnc atodol am y flwyddyn gyntaf. Wnaeth neb wrth y bwrdd hwnnw ofyn pam, diolch i'r drefn, neu byddai'r wafflo wedi dechrau ynghynt nag yr oeddwn wedi'i fwriadu.

Yn ogystal â'r byrddau swyddogol yr oedd amryfal gymdeithasau'r coleg hefyd bob un â'i stondin. Es draw yn syth at y bwrdd pêl-droed ac addo ymddangos ymhen ychydig ddyddiau mewn treialon ar gyfer tîm y coleg. Fe'm 'press-gangiwyd' tua'r Gymdeithas Ddrama Gymraeg gan un Rhiannon Parry — Rhiannon Palmer Parry erbyn hyn — a'm siarsio i ddod i'r darlleniadau ar gyfer 'Hanes Rhyw Gymro'. Angen llawer o ddynion yn honno meddai hi! Roedd fy nau ddiddordeb pennaf felly wedi eu setlo.

Dois i sylweddoli'n sydyn iawn yn y treialon pêl-droed y byddai cryn gystadleuaeth am le yn y tîm cyntaf. Yr oedd yr hen bennau o'r ail a'r drydedd flwyddyn, i gyd yn hogia medrus iawn, yn gwarchod eu lle yn ofalus. Nid ar chwarae bach y byddai newid.

Yr oedd hogyn blwyddyn gyntaf o Fanceinion, Guido Casale, Eidalwr o dras ac ar lyfrau Man Utd, yn chwarae wrth fy ochr yn y treial. Hogyn talentog a hynod o hyderus yn ei allu ond y tempar Eidalaidd yn fflachio ar ddim hefyd. Yn yr ail dîm y cawsom ein hunain.

Ar ôl sgorio ychydig o goliau yn hwnnw ces ddyrchafiad i'r tîm cyntaf. Yn aml, byddai gêm ar ddydd Mercher a dydd Sadwrn a theithiem i Aberystwyth, Abertawe, Caerdydd, Lerpwl, Loughborough a Sheffield. A nosweithiau go hir yn dilyn pob gêm!

Ond wnaeth fy arhosiad yn nhîm y coleg ddim para'n hir. Am y tro cyntaf yn fy hanes fe frifais yn o arw mewn gêm galed iawn yn erbyn Prifysgol Lerpwl, a hynny ryw bum munud cyn y diwedd. Roedden ni'n colli o bedair gôl i un, a dim ond ugain munud i fynd ond diolch i bedair gôl gan hogyn o Benarth, Peter Cross, fe guron ni 5-4. Hogyn rhyfeddol oedd Pete, yr unig un o'i deulu yn siarad Cymraeg. Fedrai o siarad yr un gair cyn ei Lefel-O ond cafodd Lefel-A arbennig yn y pwnc.

Doedd y Sgowsars ddim yn rhy hapus hefo Pete na neb arall ac fe aeth pethau braidd yn flêr. Fuaswn i ddim yn dweud bod eu cefnwr wedi *trio* fy rhoi yn yr ysbyty ond roedd o ryw shedan yn hwyr yn fy nharo. Doedd y bêl ddim yno ar y pryd.

Bûm allan ohoni am rai wythnosau. Pan ddois yn ffit unwaith eto dyma gael cynnig arwyddo i dîm Bethesda ac felly y 'Welsh League' oedd hi ar Sadyrnau o hynny allan. O leiaf yr oedd tacl y myfyriwr o Lerpwl wedi fy mharatoi at yr hyn oedd i ddod. Yr oedd rheswm da arall dros arwyddo i Fethesda — cefais dâp-recordydd Grundig fel 'signing-on fee'!

Yr oedd y ffaith fod tîm y coleg oddi cartref gymaint yn golygu bod rhywun yn colli cryn dipyn o'r 'gymdeithas' golegol. Gan fy mod yn byw gartref roeddwn i'n colli digon o honno fel yr oedd hi. O leiaf, wrth chwarae i Fethesda byddai'r nosweithiau Sadwrn yn debycach i'r hyn ddylai nos Sadwrn golegol fod — Y 'Vaults', Y Glôb, neu'r 'British' fel rheol.

Cefais ran yn 'Hanes Rhyw Gymro'. Mae lluniau'r cast anferthol yn dal yn drysor. A thipyn o gast oedd o hefyd — John Owen, John Roberts, Dafydd Huw Williams, Dafydd Glyn Jones, Euryn Ogwen Williams, a merch dlws lygatddu o Gwm-y-glo o'r enw Maureen Lloyd Jones! Byddai'n sbel eto cyn i'r ddau bentref, Sling a Chwm-y-glo, ddod yn nes at ei gilydd ond teg dweud mai ar lwyfan ymarfer y daethom i 'nabod ein gilydd gyntaf.

Roedd Maureen wedi cyrraedd y coleg flwyddyn o 'mlaen i er mai dim ond chwe wythnos sydd rhyngom o ran oedran. Yr oedd rheswm da am hynny. Fe basiodd hi'r 'scholarship' yn ddeg oed! Ond nid yn ystod 'Hanes Rhyw Gymro' y dechreuodd pethau. Drama arall a ddaeth â ni at ein gilydd.

Yn ôl at 'Hanes Rhyw Gymro'. Cynhyrchydd geiriau yn fwy nag un dim arall oedd John Gwilym Jones. 'Nid iaith "rhaff trwy dwll" ydi'r Gymraeg, boi bach,' oedd un o'i frawddegau cyson, a phetawn i heb ddysgu dim arall yng Ngholeg Bangor byddai cofio'r geiriau yna yn eithaf gwers at wneud llwyddiant o'm dewis yrfa.

Gwnâi'n siŵr hefyd fod pawb yn deall ystyr yr hyn oedd ganddynt i'w ddweud a'r rheswm pam eu bod yn ei ddweud. Mae hynny'n gynhyrchu elfennol iawn yr olwg, mi wn, ond mae'n syndod, hyd yn oed yn y byd proffesiynol, pa mor ddisynnwyr y gall ambell frawddeg swnio. Cambwysleisio yn amlach na pheidio sy'n bradychu'r ffaith na ŵyr yr actor mo union ystyr yr hyn mae'n ei ddweud. Neu, wrth gwrs, nad yw mor gartrefol gyda rhythmau'r iaith ag y dylai fod.

Byddai John Gwil hefyd yn dweud 'Gwrand'wch ar eich cyd-actorion, bendith tad ichi.' Tuedd llawer o actorion amatur, a rhai actorion proffesiynol hefyd, ydi aros yn eiddgar am y cyfle i ddweud eu 'llinellau' a hynny heb wir 'wrando' ar eiriau'r cymeriadau eraill. Y 'gwrando' yma sy'n cadw perfformiad yn fyw ac yn ffres a hefyd yn y pen draw yn penderfynu pa ffordd y byddwch chi'n dweud eich 'llinell'. Gwrando ac wedyn ymateb.

Byddai gan John Gwil lu o enghreifftiau i brofi pwynt. Yr oedd wedi gweld y perfformiadau 'mawr' yn Llundain i gyd a soniai'n aml am Gielgud, Richardson, Olivier, Sybil Thorndike ac Edith Evans. Iddo fo, Gielgud oedd y 'deudwr' ohonyn nhw i gyd.

Gyda chast enfawr, a chymaint o bethau eraill i'w gwneud mewn coleg, yr oedd trefnu'r ymarferion yn gallu bod yn hunllef. Yn y 'Stafell Ddarllen ar y Teras y byddai'r ymarferion fel rheol a hynny o saith ymlaen. Byddai John Gwil yno'n brydlon bob amser ac yn edrych fel pin mewn papur. Un ffordd sicr o'i blesio oedd dweud rhywbeth da am ei dei, neu'i grys, neu'i siaced. 'Wyt ti'n licio fo/hi, boi bach?' gyda gwên foddhaus ar ei wyneb.

'Dwyt ti byth wedi dysgu'r llinella 'na, boi bach? Sgin ti ddim ond cnegwarth ohonyn nhw!'

'Naci, naci, naci. Nid fel'na ma'i ddeud o. Fel hyn . . . a dydw i ddim yn actor . . .'

Y gwir ydi nad oedd fawr neb arall ohonom yn actorion chwaith ond, o leiaf, oherwydd ei fod o wedi dangos i ni sut roedd dweud rhywbeth yr oedd hynny'n cuddio cant a mil o feiau eraill.

Yr oedd John Gwil yn un digon llonydd yn ystod yr ymarferion cyntaf ond fel y dynesai dyddiad y perfformio âi'n fwy a mwy nerfus a cherddai'n ôl a blaen yn y 'stafell ymarfer. Ni phoenai fawr am natur set na gwisgoedd a byddai cryn redeg a rasio i ffeindio cadair yma, a bwrdd acw, ychydig ddyddiau cyn codi'r llen ar lwyfan y P.J.

Fwriadwyd erioed i neb berfformio drama yn Neuadd Pritchard-Jones. Lle hardd iawn, gwych i gyngerdd, acwstigs ardderchog, ond nid i ddrama. Yn sicr, nid lle i lefaru carbwl os oedd unrhyw un pellach na'r drydedd res yn mynd i ddeall beth oeddech chi'n ei ddweud. Ac roedd gofyn cael digon o lais!

Gan fod llwyfan y P.J. yn un symudol nid oedd raid i ni ddefnyddio'r neuadd anferth i gyd a golygai hynny fod lle i 'stafell wisgo yn y cefn. Pawb yn helpu i gario pethau ar gyfer y set ac ati a John Gwil fel rhyw 'Field-Marshal' yn goruchwylio popeth. Ychydig cyn dechrau âi draw i'w safle arferol ar ochr y llwyfan, yn y 'wings', lle byddai'n cnoi ei hances boced ac yn dweud ac yn byw pob llinell hefo ni. Byddai hefyd yn ddi-ffael yn dweud wrthym, pan basiem ef ar ein ffordd i'r llwyfan, neu oddi arno, pa mor dda yr oedd pethau'n mynd.

Yr oedd ganddo un peth pwysig iawn i'w helpu i ddelio â myfyrwyr, sef synnwyr digrifwch, a byddwn i a sawl un arall yn diolch am hynny'n aml. Gallai fod yn bigog ac yn groendenau ond gallai chwerthin hefyd.

Fe'i cofiaf yn rowlio chwerthin am ben un digwyddiad. Yr oedd y Gymdeithas wedi hurio'r gwisgoedd cyfnod ar gyfer 'Hanes Rhyw Gymro' gan Gwmni Fox o Lundain ac fe gyrhaeddodd y cyfan mewn basgedi gwellt mawr. Un o'r rhai cyntaf i swlffa am wisg yn y basgedi oedd Meic Davies (Meic Llanelli) chwaraewr tennis bwrdd arbennig iawn, a'i chwaer Lis yn yr un flwyddyn â mi. Dwi'n meddwl mai digwydd pasio fel y cyrhaeddai'r llwyth o stesion Bangor yr oedd Meic ac er mai dim ond rhan fel un o'r milwyr oedd ganddo fe fachodd y wisg orau! Gan mai cynhyrchiad coleg oedd hwn doedd safon y gwisgoedd a anfonodd Fox ddim o'r radd flaenaf wrth reswm, (pwy all eu beio am hynny?) ac felly roedd Meic wedi gwneud yn dda iawn.

Yr oedd prinder beltiau lledr o safon yn y basgedi ac yr oedd angen un yn ddirfawr ar John Roberts i chwarae rhan flaenllaw Vavasor Powell. Gofynnodd John tybed a gâi ddefnyddio'r un da oedd am ganol Meic gan na fyddai ar Meic fawr o'i angen, a dweud y gwir. Yn hollol ddifrifol dyma Meic yn ateb, 'Wrth gwrs 'ny. Os caf i e nôl erbyn y "curtain call".' Roedd John Gwil wrth ei fodd hefo hon'na.

Chwerthin wnaeth o hefyd pan fu Iori farw o flaen ei amser. 'Siencyn' oedd Iori yn ei actio ac ar ôl cael ei glwyfo ar faes y gad yr oedd yn gofyn am ddiod o ddŵr. Y fi oedd yn estyn y dŵr iddo ac wedyn, ar ôl ei anadliad olaf, yn cau ei lygaid. Yn anffodus, yn ei farwlewyg, ac yng ngwres y perfformiad, anghofiodd Iori ofyn am y dŵr a rhoddodd inni farwolaeth ryfeddol o ddramatig, gan gynnwys ochenaid olaf fawr y byddai John Barrymore ei hun wedi bod yn falch ohoni. Taenais innau fy llaw dros ei lygaid ac edrych yn addas bruddaidd. Codais oddi wrth y 'corff' ond cael fy stopio'n stond pan ofynnodd y 'marw' am ei ddiod o ddŵr!

Mae Iori'n byw yn Norwy ers blynyddoedd maith ac fe'i gwelais yn ddiweddar mewn siop golff yn Llandudno yn prynu clybiau i'w feibion. Llawer rhatach yma nag yn Norwy, mae'n debyg. Mab y diweddar Barchedig John Alun Roberts ydi Iori. Yr oedd fy nhad yn ffrindiau mawr hefo John Alun Roberts, mab fferm Coed, Llanllechid — 'John Bach Coed' i 'Nhad. Chwarelwr a aeth i'r weinidogaeth gyda chymorth ceiniogau prin pobl ardal Bethesda. Dyn â thoreth o straeon am hiwmor y gwaith a'r ardal.

Y tro diwethaf i mi ei weld oedd ychydig wythnosau cyn ei farw pan recordiwyd ei hanes ar gyfer y gyfres 'Hogi Arfau'. Yn dal yn ei feddiant, ac yntau mor falch ohono, yr oedd tocyn cyngerdd a drefnwyd i godi arian iddo gael mynd i'r coleg. Cymaint oedd y gwerthiant fel y bu'n rhaid symud y cyngerdd i gapel mwy. Cafodd criw ohonom oriau o ddiddanwch yn ei gwmni y bore hwnnw.

O edrych yn ôl, a hynny mor wrthrychol ag sy'n bosibl, yr oedd y perfformiad o 'Hanes Rhyw Gymro' yn un go arbennig o ystyried mai criw o fyfyrwyr oedd wrthi, a'r rhan fwyaf ohonynt yn chwarae rhannau llawer hŷn na'u hoed. Yr oedd John Owen (Y Parchedig erbyn hyn) yn ardderchog fel Morgan Llwyd a John Roberts hefyd fel Vavasor Powell. John Roberts, 'John Bach' (prifathro Ysgol Syr Hugh Owen heddiw) oedd un o'r actorion gorau y bûm i'n gweithio hefo nhw hyd y dydd heddiw.

Yr efeilliaid yn dair oed.

'Yr hogyn bach gwallt cyrliog o Sling.'

Mam hefo Pero'r ci.

Cyn dyddiau'r 'Fosbury Flop'.

Tîm dan bymtheg.
George, fy hen ffrind o Sling, yw'r gôl-geidwad.

Tîm yr ysgol, 1960.

Derbyn gwobr 'Peblen Demosthenes'.
O'r chwith i'r dde: Sam Jones, Mr Pardoe, Ruth Price, W. J. Davies,
Hugh John Hughes, fi a Gwyn Parry.

Rhai o gast 'Hanes Rhyw Gymro', 1963. (Llun: Alwyn Owens)

'Y Machlud Maith' — Arthur yn bygwth!
O'r chwith i'r dde: Philip Watts, Arthur Lewis, Keith Williams, 'Arthur'
ac Alwyn Roberts.

'Antigone' a helynt y strejar. (Llun: Alwyn Owens)

Fu Ionesco byth 'run fath!
Dafydd Whittall, Iona Williams, John Hughes, Ann Pritchard a
Philip Davies. (Llun: Alwyn Owens)

'Pwy Sy'n Iawn?' (Pinter).
Cofweinydd oeddwn i. Mair
Roberts, Robin Griffith,
Robert Morris, Cenwyn Edwards
a Maureen Lloyd Jones.
(Llun: Alwyn Owens)

Mary a finnau yn 21 oed.

' 'Stafell Ddirgel'. Rowland Ellis yn dod i mewn i un o gyfarfodydd y Crynwyr. Charles Williams yw'r ail o'r dde i mi.

Huw, Caradog a Moi ar Bont y Tŵr. 'Un Nos Ola Leuad', 1981. Wyn Bowen Harries a Gwyn Vaughan.

*Wedi bod yn hogyn drwg.
Cael fy nôl gan Inspector
Barlow. 'Softly, Softly',
1971.*

*'Cilwg yn Ôl' — Cwmni
Theatr Cymru.
Jimmy Porter a Helena
(Beryl Williams)*

*Clawr y Radio Times.
Morgan Evans a
Miss Moffat
(Wendy Hiller).
'The Corn is Green'.*

Ar dudalen flaen y Sun!

LLWYFAN 4

APRIL 13-19
BBC tv

Radio Times

The
corn
is
green

Play of the Month on BBC-1 Sunday

All the Easter programmes on BBC-tv and Radio

'Y Tŵr', 1978, Act 2.

'Y Tŵr', 1995, Act 2. (Llun: Dylan Rowlands)

'Y Wers Nofio' (Ifor Wyn Williams).

(Llun: Siôn Jones)

'Tra bo Rygarug yn Nythu' (Huw Roberts).

(Llun: Siôn Jones)

'Esther'. Y theatrau'n orlawn.

Parchedigion un ac oll!
'Emrys ap Iwan'.
Ifan Huw Dafydd, Dilwyn
Young Jones, Huw Ceredig,
Grey Evans. Wyn Bowen
Harries, Stewart Jones, 'Emrys'.

Maureen fel Bet yn 'Tywyll
Heno', (Kate Roberts). Y
cynhyrchiad yr wyf fwyaf
balch ohono.

Poster o'r ddrama
a dorrodd dir newydd
yn y Gymraeg.

Cwmni Theatr Cymru

John Ogwen
a
Maureen Rhys
yn

alpha
beta

E. A. Whitehead

Anaddas i rai
dan 18 oed

HARLECH

Theatr Ardudwy, Coleg Harlech

Nos Wener a Nos Sadwrn, 6 a 7 Rhagfyr 7.30

Tocynnau 60c gan :

Fferyllfa Gwynedd, Penrhyndeudraeth (220)
Mr. R. Jones, Gwyndy Stores, Harlech (2455)
Miss Jo Barnes, Theatr Ardudwy, Coleg Harlech (363)

GYDA CHEFNOGAETH CYNGOR CELFYDDYDAU CYMRU A'R CYMDEITHASAU CELFYDDYD RHANBARTHOL

Argraffwyd gan WELSH UNIVERSAL PRESS. BANGOR.

'Nôl ar y stryd
'Nôl ar y sgrîn

Minafon

nos Fawrth

Dic a Hyw Twm
ar Lime Street.

Robin a'i beint.

Deryn
ydy
Robin Pritchard
ydy
John Ogwen

Kitchen Sink Sixties
–the start of a new film season

'Oidipos Frenin'.

Teyrnged i'r Gŵr
o'r Groeslon.

'Y Chwerthin Sydd Mor
Drist'. Portreadu
T. Glynne.

R. Williams Parry
a'r Lôn Goed.
(Llun: Gareth Owen)

'Sleuth'. J. O. Roberts
hefo rhywun na ddaru'i
ffrindia mo'i 'nabod.

Teulu Maes y Coed, 1987.

Agor Theatr Crwys, Caerdydd, 1995.

O'r chwith i'r dde: J. Lynn Faldo, Graham Trevino, John Daly,
Eric Ballesteros! (Llun: Guto Wyn Hughes)

Robin, Rhys a Guto, 1996.

Seiat Carreg Brân. Roedd tri yn absennol pan dynnwyd y llun.

Yn America.
Alun Llwyd, Warren a Nancy. Y tu ôl i ni mae Bae Efrog Newydd.

Yr oedd yn rhy beniog, rhy gall, i wneud gyrfa ohoni mae'n debyg! Âi'n nerfus iawn o flaen perfformiad hefyd, os dwi'n cofio'n iawn.

Ond nid y perfformiad blynyddol yn unig oedd swm a sylwedd gwaith y Gymdeithas Ddrama. Ceid nosweithiau o berfformio dramâu byrion hefyd. Yn y rheiny, y myfyrwyr oedd yn cyfarwyddo hefyd a byddai hen berswadio a bygwth wrth gasglu cast. Ar ôl fy 'llwyddiant' cymharol yn 'Hanes Rhyw Gymro' fe'm llusgwyd i ddwy ddrama fer — 'Y Gŵr Diarth' gan Wil Sam, a 'Y Gôt Fawr', cyfieithiad gan Islwyn Ffowc Elis o ddrama Eidalaidd.

Dwi ddim yn amau nad aethon nhw'n eithaf ym Mangor ac yn 'Y Gegin' yng Nghricieth pan aeth y Cwmni ar daith. Taith fer — dim ond un noson. Sylwais yn 'Y Gegin', cartref dramâu Wil Sam, fod yr ymateb i ddoniolwch 'Y Gŵr Diarth' yn llawer cryfach nag oedd ymateb cynulleidfa'r P.J. Sut bynnag, daeth yr amser i'w perfformio yng Ngŵyl Ddrama Flynyddol Colegau Cymru, y tro hwn yng Nghaerfyrddin. A dyna beth oedd wythnos o 'ddathlu'.

Fe berfformiwyd y dramâu ar y noson benodedig. Nos drannoeth Coleg y Brifysgol, Aberystwyth oedd i fod i berfformio 'Ar Ddu a Gwyn', drama Huw Lloyd Edwards. Yn anffodus, digwyddodd rhywbeth i rwystro'r perfformiad hwnnw a bu'n rhaid i ni berfformio'n dramâu yn ei le. Ond, a hwnnw'n 'Ond' mawr, chwedl Wil Sam, wydden ni ddim am y trefniant tan yn hwyr yn y prynhawn. Gan ei bod yn ddydd Mercher, a thafarnau Caerfyrddin yn agored trwy'r dydd, yr oedd rhai ohonom wedi mynd ar daith addysgiadol.

Yr oedd Rhiannon Price, y cynhyrchydd, yn boenus iawn am ei chast, wel, am un aelod ohono a bod yn fanwl gywir. Doedd neb yn siŵr iawn ble'r oedd o. Fe fu dyfal chwilio a rhaid i mi gyfaddef pan ddaethpwyd o hyd i'r ddafad ddu golledig nid oedd mewn cyflwr i roi troed ar lwyfan heb sôn am gymryd rhan mewn dwy ddrama.

Fe'm llusgwyd, dan brotest, yn ôl i'r Halliwell a thywalltwyd galwyni o goffi du i lawr fy nghorn gwddw. Erbyn hanner awr wedi saith yr oeddwn shedan yn well ond nid rhyw lawer. Does gen i fawr o gof am y perfformiad ond mae'n debyg imi ddweud pob llinell yn gymharol gywir. Gan fod golygfa 'feddw' gan y cymeriad yn 'Y Gŵr Diarth' fe fuasai dilynwyr realaeth mewn drama wedi bod yn falch iawn ohonof. Yn anffodus, neu'n ffodus efallai, 'Barnwr' oeddwn yn y ddrama arall. Tybed a oedd fy stad yn addas i honno hefyd?

Dyna'r tro cyntaf ac, yn sicr, y tro olaf, i mi fentro ar lwyfan na set deledu yn y fath gyflwr. Mae digon o broblemau'n gallu codi heb ychwanegu atynt yn fwriadol.

Cofiaf ffrind i mi, actor o Wyddel o'r enw Rio Fanning, yn dweud ei hanes yn perfformio drama Wyddelig mewn Gŵyl yn Greenwich. Yr oedd pedwar yn y cast a thri ohonynt yn feddw gaib. Y fo oedd y pedwerydd sobr ac yn actio coediwr mud a byddar. Fedrai o helpu dim ar ei gyd-actorion i ganolbwyntio ar y plot gan nad oedd i fod i ddweud na chlywed dim. Trannoeth y perfformiad ymddangosodd adolygiad gan y sur-dafod hwnnw, Bernard Levin. Ei linell agoriadol oedd, *'After just five minutes this week of Irish Comedy had turned into pure tragedy, if not pure farce.'* Aeth ymlaen wedyn i dynnu'r cyfan yn ddarnau mân. Hyd y gwn i, doedd yr un cyw

Bernard Levin yn Theatr yr Halliwell, Caerfyrddin, y nos Fercher honno!

Ond nid drama yn unig a geid yn ystod wythnos yr Ŵyl Ddrama Golegol. Yr oedd aelodau o'r Academi Gymreig yn cyfarfod hefyd a cheid darlithoedd a sgyrsiau gan awduron yn ystod y dydd — ac ambell un yn hwyr yn y nos.

Mewn un sesiwn hwyr fe benderfynodd nifer o bobl (John Gwil, Huw Lloyd, Gwenlyn, John Roberts, a Dafydd Glyn Jones yn flaenllaw yn eu plith) yr aent ati i sgrifennu 'drama newydd' gan Ionesco, drama a fu 'ar goll' am flynyddoedd. Nid yn unig sgrifennu'r ddrama ond mynd ati nos drannoeth i'w pherfformio a'i chyflwyno fel un o ddramâu Ionesco, un o'i gyfnod cynnar crefyddol wrth reswm. 'Y Ffynnon' oedd ei theitl ac yn unol â'r teitl yr oedd ceg ffynnon ar y llwyfan a llaw rhywun yn sticio allan ohoni. Âi'r ddrama ymlaen i drafod beth oedd y cyfryw law a sticiai allan o'r ffynnon. Yr oedd gan bob cymeriad ei theori ei hun ond ddywedodd neb mai 'llaw' oedd hi.

Yr oedd bachgen ysgol o Fethesda, Gari, yng nghast drama Gwenlyn, 'Poen yn y Bol', a manteisiwyd ar hynny drwy ei gael o i ddod ar y llwyfan yn y diwedd i ddweud 'llaw'. Fe dwyllwyd un beirniad yn y gynulleidfa i'r fath raddau nes iddo ddweud, mewn print, fod y 'ddrama golledig' hon yn un o'r darganfyddiadau llenyddol pwysicaf ers blynyddoedd lawer. Os cofiaf yn iawn, yr oedd pennawd bras i'r perwyl mewn un wythnosolyn. Pan ddaeth i wybod y gwir fe bechodd yr 'awduron' yn anfaddeuol yn ei erbyn. Tybed a fyddai Bernard Levin wedi cael ei dwyllo yn yr un modd petai 'The Well' wedi'i pherfformio yn Greenwich? Go brin, ond byddai wedi gwerthfawrogi'r jôc.

Dau o'm cyd-fyfyrwyr oedd Cenwyn Edwards (a fu'n gweithio yn HTV ond sydd bellach yn un o gomisiynwyr S4C) a John Eurfyl Ambrose (prifathro Ysgol Brynhyfryd, Rhuthun), y ddau o ardal Llanelli. Yng nghwmni'r ddau, cefais achos i gofio un ddrama yn arbennig — a dwy yn achos Cenwyn. Penderfynodd John Ellis Jones, darlithydd yn yr Adran Roeg ac yn byw yn Sling, y byddai'n syniad da i ni wneud ei gyfieithiad newydd o 'Antigone'. Mr Jones hefyd a gynhyrchai a phenderfynodd y byddai'n ddramatig iawn pe gwelid fi (yn farw) yn cael fy ngharío ar elor ar hyd neuadd y P.J. a'm gosod i orwedd ar y llwyfan. Dramatig efallai, ond peryglus pan benderfynodd mai'r ddau elor-gludwr fyddai Cenwyn a John Ambrose!

Gorweddwn yn daclus ar yr elor — wel, hen strejar St. John's wedi gweld dyddiau gwell, a dweud y gwir — tra safai'r hogia yn barod i'm cario. Yna daeth un o'r porthorion o rywle a phenderfynu dweud ei stôr o jôcs anllad wrthym. A digri iawn oedd un neu ddwy. Y canlyniad fu i ni gael y 'cue' yn rhyfeddol o annisgwyl ac i'r hogia anghofio cau'r strapiau a'm daliai'n llonydd ar yr elor. Peth anarferol, wedi'r cwbl, ydi gweld corff yn gafael yn dynn yn ei elor ei hun.

Aeth y daith ar hyd y neuadd rhwng y gynulleidfa yn ddigon didramgwydd ond yr oedd grisiau serth i'w dringo i gyrraedd y llwyfan ac wrth ddringo'r rheiny y gwelwyd angen y strapiau. Fe lithrodd y corff ar hyd yr elor a tharo'i ben yng ngwasgod bres y cariwr ar y pen isaf gan wneud sŵn rhyfeddol. Bu bron i'r ddau fy ngollwng ac, efallai, o gofio'r hyn a ddilynodd, y byddai'n well pe baent wedi gwneud hynny. Bu'r corff yn siglo chwerthin trwy weddill y perfformiad, nid yn unig oherwydd y digwyddiad yna ond hefyd am fod y 'Negesydd' yn y ddrama wedi troi at y cofweinydd (Maureen fel roedd hi'n digwydd bod) a dweud, o glywed 'prompt', 'Dwi wedi torri hwn'na allan pnawn 'ma'!

Drama arall y bu Cenwyn a minnau'n ymwneud â hi oedd cyfieithiad John Gwil o ddrama Pinter 'Pwy Sy'n Iawn?' Roedd Cen yn cymryd rhan fy nhad ac roedd gennym olygfa o ryw dair tudalen a ddeuai i ben pan gerddai 'Mam' ar y llwyfan. Bu'r ddau ohonom yn dyfal ail-ddweud llinellau a chreu rhai newydd tra'n disgwyl dyfodiad Iona Williams i fynd ymlaen â'r plot. Pan ymddangosodd Iona o'r diwedd mentrais ofyn, 'Lle gebyst 'dach chi wedi bod, Mam?' Yr ateb a gefais oedd, 'Methu ffeindio'r drws o'n i.' Ateb hollol wir a gonest gan iddi fynd ar goll yn y tywyllwch yng nghefn y llwyfan.

Roedd angen cath yn y ddrama ond gan na allem gael un ddigon gwirion i gymryd rhan (a doedd neb yn fodlon dwyn un oddi ar strydoedd Bangor Uchaf) fe benderfynwyd, rhyw hanner awr cyn y perfformiad, mai 'ci' fyddai'r anifail anwes. Nid ci go iawn ond rhyw fag dal pyjamas ar siâp ci o eiddo un o'r genod. Yn anffodus, ddywedwyd mo hynny wrth Cenwyn a chafwyd y llinell anfarwol:

'O, am ga . . . ci bach neis sy gynno chi.'

Yn ôl John Gwil yn yr ymarferion, yr oedd honno i fod yn llinell symbolaidd ac allweddol iawn. Fu hi 'rioed fwy felly.

Gyda'r fath ddigwyddiadau yn britho fy ngyrfa ddramatig hyd yma, chwi welwch fy mod yn prysur gasglu profiad amhrisiadwy ar gyfer y dyfodol.

Nid Cilwg yn Ôl

Fel y dywedais ynghynt, dwi'n dal i ddyfaru i mi aros gartref yn hytrach na byw mewn hostel yn ystod fy mlynyddoedd yn y coleg. Dwi'n siŵr i mi golli llawer. Serch hynny, mae gen i atgofion melys iawn o'm dyddiau ym Mangor.

Mae pawb yn meddwl, am wn i, mai Oes Aur eu coleg oedd y blynyddoedd y buon nhw yno. Yn bendant, yr oedd dechrau'r chwedegau ym Mangor yn Oes Aur!

Roedd llewyrch ar y Gymdeithas Ddrama, Cymdeithas y Cymric, papur *Y Dyfodol*, y cylchgrawn *Ffenics*, a'r cylchgrawn rag hwnnw, *Bronco*. Yr oedd yno lewyrch academaidd hefyd, er na fu fy nghyfraniad i'n fawr yn y cyfeiriad hwnnw.

Bu rhes o ddigwyddiadau cofiadwy sy'n byrlymu trwy'r cof rŵan . . . Y brotest ger llythyrdy Dolgellau a ddisgrifir mor fyw gan Saunders Lewis yn araith 'Dewi' yn 'Cymru Fydd', araith y cefais y fraint o'i thraddodi yn fy mherfformiad proffesiynol cyntaf yn Eisteddfod Y Bala, 1967.

. . . y noson y daeth Edward Heath i'r coleg a'r cyfarfod yn troi'n ddadl rhwng y gwleidydd o Sais a myfyriwr o'r flwyddyn gyntaf, un Dafydd Elis Thomas. A Heath, yn amlwg, yn parchu dadleuon tanbaid ond rhesymegol yr hogyn ifanc.

. . . y siarad cyhoeddus gyda'r gorau a glywais erioed mewn dadl a drefnwyd gan Y Gymdeithas Ddadlau

Seisnig. Dadl ar y testun *'The Welsh Language Should Be Allowed To Die In Peace'* oedd hi. Yn siarad o blaid y gosodiad yr oedd Steve Roberts (a fu wedyn yn un o gynhyrchwyr 'Late Night Line-Up' ar BBC2) a John Owen Hughes (y deuthum i'w 'nabod wedyn fel yr actor o Gymro, Owen Garmon, ond na wyddwn ei fod yn Gymro Cymraeg tan hynny). Yn siarad yn erbyn y gosodiad yr oedd Derec Llwyd Morgan ac Euryn Ogwen Williams. Roedd y gynulleidfa mor niferus fel y bu'n rhaid symud y ddadl o neuadd fechan Powys i'r P.J. Cafwyd siarad gwych, ac er mai Saeson oedd y rhan fwyaf o'r gynulleidfa cystal oedd dadleuon Derec ac Euryn fel mai pleidleisio yn erbyn y gosodiad a wnaeth y mwyafrif ohonynt.

. . . perfformiad Owen Garmon yng nghynhyrchiad y Gymdeithas Ddrama Saesneg o 'King Lear' a'i berfformiad, gyda Fred McPherson, yn 'Waiting For Godot'.

. . . sawl Eisteddfod Ryng-golegol ond un yn arbennig pan oedd Dafydd Iwan, Ainsleigh Davies a Dafydd Glyn Jones yn cystadlu ar gerdd gocos. Dafydd Glyn, fel arfer, yn rhyfeddol a doedd Dafydd Iwan ac Ainsleigh ddim yn ddrwg chwaith!

. . . y noson gyffrous honno pan gafodd criw ohonom fenthyg 'transmitter' Plaid Cymru i dorri ar draws teledu Lloegr er mwyn hysbysebu'r cylchgrawn rag, *Bronco*. Penderfynwyd cynnal yr anfadwaith yn ein tŷ ni yn Sling. Roedd rhaid bod yn ofalus oherwydd bod plismyn y Swyddfa Bost yn gallu olrhain ffynhonnell y trosglwyddydd. Dyma Emlyn Davies (cyn-gyflwynydd 'Heddiw' sydd bellach yn Bennaeth Teledu Elidir, a hen gyfaill), How Glyn Williams o Edern a Cenwyn Edwards yn cyrraedd gyda'r bocs du. Anfonwyd Mam i drws nesa' i weld beth fyddai canlyniad yr arbrawf ar y set deledu yno. Roedd Robert Dougall wrthi'n darllen y newyddion pan roeson ni hergwd i'r swits. Yn sydyn, fe syrthiodd llun yr hen Dougall ar ei ochr a daeth fy llais i'n glir drwy'r set . . . 'Dyma Radio Bronco. Bronco. Bronco. Ar werth yn awr.' Rhedodd Mam o'r drws nesa' i ddweud fod John Ifans wedi codi o'i gadair a rhoi slaes i'w set pan aeth y llun yn wonci a bod beth bynnag oeddan ni'n geisio'i wneud 'wedi gweithio'. Cyn i'r heddlu gyrraedd dyma bacio popeth i fŵt car How Glyn ac i ffwrdd â nhw am Fangor. Ymhen hanner awr yr oedd fy nhad yn eistedd yn ei hoff gadair esmwyth i wylio bocsio ond Ow, Och, ac Och drachefn, yr oedd agosrwydd y trosglwyddydd wedi chwythu pob falf yn y set yn rhacs. Am flynyddoedd wedyn byddai 'Nhad, pan welai Emlyn ar 'Heddiw', yn cyfeirio ato fel y 'boi ddaru chwthu 'nhelifision i'.

. . . y parti enwog hwnnw yn Neuadd y Merched (Neuadd John Morris-Jones heddiw) pan oedd y Mri Cenwyn Edwards a John Eurfyl Ambrose yng ngofal y coctêls. Calla dawo am y diwrnodiau dioddefus a ddilynodd y gyfeddach honno.

Cyfnod cythryblus, byrlymus, creadigol y chwedegau cynnar. Ein braint oedd bod yn rhan ohono.

Cafwyd cyfarfod o'r Gymdeithas Ddrama un noson ar ddechrau fy ail flwyddyn yn y coleg, cyfarfod i benderfynu beth a fyddai'r cynhyrchiad 'mawr' y flwyddyn honno. Dywedodd John Gwil ei fod am gyfieithu drama John Osborne 'Look Back in Anger', y ddrama a ysgydwodd fyd cyfforddus y ddrama Seisnig i'w sail ryw saith mlynedd ynghynt; drama a esgorodd ar res o rai eraill tebyg yn y cyfnod a'i dilynodd. Yn ddiweddar darllenais ddyddiaduron Noël Coward a alwodd y ddrama yn 'nasty little piece' a 'nauseating evening'. Ond wrth gwrs, felly y buasai o'n ei gweld hi.

Yr oedd John Gwil am gael dau gast a'r ddau John, John Roberts a minnau, i gymryd rhan Jimmy Porter.

Y ddau gast cyfan oedd John Roberts (Jimmy), Ifan Roberts (Cliff), Margaret Richards (Alison), Maureen (Helena) a Gareth Thomas (Y Cyrnol). Hefo mi yr oedd Geraint Easter Ellis (Cliff), Eirlys Griffith (Alison), Glenys Roberts (Helena) a Gareth eto fel Y Cyrnol.

O edrych yn ôl, bu perfformio'r ddrama honno yn arwyddocaol iawn yn fy mywyd i. Ychydig wedi'r ymarferiadau cyntaf y daeth Maureen a minnau at ein gilydd a chychwyn ar bartneriaeth sydd bellach wedi parhau am dros ddeng mlynedd ar hugain. Yr oedd Glenys a John, a Margaret ac Ifan, eisoes yn gariadon a dymuniad Glen i gael cyd-actio â John a olygodd fod Maureen a minnau'n cael cyd-actio hefyd.

Mwynheais y profiad o actio Jimmy i'r fath raddau, a chael adolygiadau da mewn papurau, fel i'r syniad o actio am fy mywoliaeth gael ei blannu yn fy meddwl.

Yr oedd Geraint Easter Ellis a minnau yn dipyn o ffrindiau ac yn 'nabod ein gilydd trwy bêl-droed ers dyddiau ysgol — y fo'n chwarae i 'Stiniog a Sir Feirionnydd ac fel 'left-half' yn fy marcio i. Ychydig cyn i'r ymarferion ddechrau yr oedd Geraint yn cwyno'n o arw hefo'i stumog. Byddai'n dweud bob bore, ar ôl cerdded neu feicio o Borthaethwy, nad oedd dim yn aros i lawr a'i fod wedi codi i chwydu sawl gwaith yn ystod y nos. Fe'i perswadiwyd i fynd at y meddyg yn y coleg a chafodd botelaid o ffisig at y cylla. Doedd y ffisig yn gwneud dim i'w wella a chofiaf i ni gael seremoni tywallt y botelaid ddi-werth dros wal teras y coleg un noson.

Cofiaf i griw ohonom fynd allan am bryd o fwyd un noson ac i Geraint archebu 'Mixed Grill' anferthol. Pan ddaeth y platiad, er nad oedd wedi bwyta dim ers wythnos a mwy, bu'n rhaid iddo godi a gadael y bwrdd heb ei gyffwrdd.

Fe ddechreuodd yr ymarferion. Erbyn hyn roedd golwg ofnadwy ar Geraint a byddai wedi'i lapio mewn côt fawr a sgarff hyd yn oed yng ngwres y 'stafell. Un noson syrthiodd i gysgu yn ystod yr ymarfer. Yr oedd John Gwil yn bendant y dylai fynd adref i Gorwen am ychydig ddyddiau a mynd i weld ei feddyg, a John Gwil ei hun a aeth â fo adref yn y car fore trannoeth.

Y noson honno yn yr ymarferion fe ddaeth ataf a dweud, 'Gwranda, boi bach, dwi ddim isio dy ddychryn di, ond dwi'n meddwl bod 'na rwbath go fawr yn bod ar Geraint. Mae o 'run fath yn union â Hywel oedd yn y coleg yr un adag â mi.' A dyma fo'n dweud mai *leukaemia* oedd ar Hywel.

Ddeuddydd yn ddiweddarach aeth John Gwil, Cenwyn, John Ambrose a minnau draw i Gorwen i edrych amdano. Yr oedd wedi dirywio'n arw mewn tridiau. Roedd ei wefusau a blaenau ei fysedd yn las a châi drafferth i siarad yn glir. Roedd ei chwaer Manon gartref a gwyddwn ar ei hwyneb ei bod yn pryderu'n arw. Dywedodd fod Geraint wedi disgyn ar y grisiau wrth geisio mynd i'w wely'r noson cynt ac nad oedd ganddo'r nerth i godi. Yr oedd o ei hun yn dal yn siriol fel arfer ac yn ffyddiog y byddai 'coginio Mam' yn siŵr o'i wella. Yr oedd i fynd i Ysbyty Maelor am archwiliad drannoeth.

Rhyw dridiau y bu yn yr ysbyty. Cofiaf, fel petai'n ddoe, godi oddi wrth y bwrdd yn y 'Stafell Goffi a mynd at y ffôn y tu allan i'r drws i holi yn ei gylch a chael gwybod ei fod wedi marw yn ystod y nos. Cerdded yn ôl i'r 'stafell a chyhoeddi'r newydd i'r criw o amgylch y bwrdd. Bu farw o *leukaemia*.

Cafodd marwolaeth Geraint effaith ddofn ar bob un ohonom. Yr oedd yn un o'r hogia mwyaf poblogaidd yn y coleg, yn llawn hiwmor a direidi ac yn ganwr da. Byddai'r ddau ohonom yn cael cystadleuaeth limrig yn ddyddiol, a chyda Pete Cross, yn llunio ambell englyn hefyd.

Penderfynwyd mynd ymlaen â'r ymarferion gydag Ifan rŵan yn cymryd rhan Cliff yn y ddau gast.

Daeth Wilbert Lloyd Roberts i weld y cynhyrchiad a dod draw i gael gair ac, ar ôl mwynhau ei eiriau o ganmoliaeth, gofynnais iddo am waith yn y fan a'r lle. Yr oeddwn am adael y coleg a mynd i actio ond yr oedd Wilbert, diolch i'r drefn, yn gallach o'r hanner na mi a dywedodd wrtha i am ddod i'w weld y diwrnod y cawn i fy ngradd. Pan ddaeth yr amser dyna a wnes i.

Gyda'r Blynyddoedd

Yr oeddwn wedi sgrifennu'r teitl uchod rai oriau cyn dechrau sgrifennu'r bennod ei hun. Treuliwyd yr oriau hynny yn gwylio Guto'r mab ieuengaf (12 oed) yn chwarae pêl-droed yn Llangefni. Gêm dda oedd hi hefyd — dwy gôl yr un.

Ar ôl dod yn ôl yn gryg ond cydwybodol at y prosesydd y sylwais imi, yn ddiarwybod, roi teitl hunangofiant y Parch. E. Tegla Davies i'r bennod, llyfr a brynais un tro yn anrheg i 'Nhad am y gwyddwn mai Tegla oedd un o'i hoff bobl. Felly, mae'r teitl yn addas mewn mwy nag un ystyr.

Daeth treigl y blynyddoedd yn fyw iawn i mi'n ddiweddar pan deledwyd rhaglen 'Pen-blwydd Hapus' Maureen, rhaglen, wrth gwrs, na wyddai Maureen ddim amdani tan y diwrnod mawr ei hun. Cystal i mi sôn am hynny yma nag yn unman. Fe wyddwn am fwriad Cwmni Gwdihŵ ers misoedd lawer ac roeddwn wedi bod wrthi'n ddygn yn helpu Siân Wheway a Marlyn Samuel i gasglu deunydd, gwybodaeth a phobl.

O wybod mai person preifat iawn mewn gwaith cyhoeddus yw Maureen yr oedd gennyf fy amheuon a ddylid gwneud y rhaglen o gwbl ond wedi trafod hefo Robin a Rhys, yr hogia hynaf, a dod i'r casgliad y byddai hi'n mwynhau'r noson, dyma gydsynio i fwrw 'mlaen.

Cadw'r cyfan yn gyfrinach oedd y broblem, a'r tro gwaethaf un oedd y diwrnod hwnnw y gofynnodd

Maureen i mi estyn rhyw hen lun iddi, llun ohoni hi a gedwid hefo degau o rai eraill yn y stydi. Yr oeddwn eisoes wedi'i roi i Marlyn er mwyn ei ddefnyddio ar y rhaglen. Gan fy mod yn un drwg am golli pethau, neu o leiaf eu rhoi mewn lleoedd na fedraf i na neb arall eu ffeindio, yr oedd yn rhaid dioddef yr edliw am golli'r llun hefyd yn hynod dawel!

Er mwyn trafod a pharatoi byddai Marlyn a minnau'n cyfarfod yn nhafarn 'Y Bedol' ym Methel. Cafwyd sawl un yn edrych yn amheus iawn arnom o'n gweld yno gyda'n gilydd fwy nag unwaith, ac yn enwedig o'n gweld yn pori trwy ryw hen luniau.

Yr oedd chwe gwestai cwbl angenrheidiol, sef y tri phâr priod o ddyddiau coleg. Am ddwy flynedd bu Maureen yn rhannu tŷ yn Brynteg Teras hefo Ann, Mair ac Iona, sef Ann Prichard o Benmynydd, Mair Roberts o Frynrefail ac Iona Williams o Lithfaen, yr un a fethodd ffeindio'r drws yn y ddrama honno. Pan oeddwn i'n canlyn Maureen yr oedd Gwynn Matthews hefo Mair, Meic Curwen hefo Ann, a Gareth Lloyd Williams hefo Iona. Rydan ni i gyd yn dal hefo'n gilydd o hyd — rhyw fath o record mae'n siŵr gen i.

Cafwyd oriau difyr iawn yn 'Sodom'! Pwy alwodd y tŷ yn hynny, wn i ddim. Tybed ai Mr Matthews a wnaeth ar ôl i ni'n dau fod yn trafod y byd a'i bethau un prynhawn cyn troi am Frynteg am baned?

Ydi cyfeillgarwch ffrindiau coleg yn parhau yn hwy na chyfeillgarwch ffrindiau ysgol? Efallai'n wir ei fod. Rydan ni acw yn cadw cysylltiad clos o hyd â nifer o'n cyfoedion coleg. Waeth pa mor hir y byddwn heb weld ein gilydd mae bob amser fel ddoe pan gawn gyfarfod.

Felly y mae hi hefo'r actor Robin Griffith. Gall misoedd lawer fynd heibio heb i ni gael cyfle i gyfarfod ond nid yw hynny o wahaniaeth yn y byd pan ddown at ein gilydd. Daeth Robin a minnau'n ffrindiau mawr yn y coleg a threuliwyd oriau lawer yn gwastraffu amser yn ddiddan. Robin a'm dysgodd i ddreifio a byddem yn mynd yn 5 VTJ, yr hen Ffordyn, i dafarn y Gors Bach yn y pnawn. Rhoi gwers ddreifio i mi oedd yr esgus dros fynd i fan'no, wrth gwrs.

Bu Robin yn aros acw yn Sling sawl tro a minnau yn ei gartref o yn Llangoed. Mawr oedd croeso Mr a Mrs Griffith. Yr oedd Ann, chwaer Robin, yn y coleg ym Mangor hefyd. Ond fu Robin ddim acw cymaint, na minnau yno cymaint, ag yr oedd ein rhieni yn ei dybio! Pan fyddid eisiau esgus i aros ym Mangor dros nos byddai dweud 'Dwi'n aros hefo Robin/John yn Llangoed/Sling' yn un hwylus iawn. Dal ein gwynt wnaeth Robin a minnau pan ddaeth Mr a Mrs Griffith draw i Sling un tro i ddiolch i Mam a 'Nhad am adael i Robin aros acw cymaint! Bu ochenaid gudd o ryddhad pan atebodd Mam 'Does raid i chi ddim, tad.'

Mae'n ddyn hoffus, gonest, gwahanol ac yn dweud yn blaen beth sydd ar ei feddwl, digied rhywun neu beidio. Daeth acw'r dydd o'r blaen mewn Jaguar to-agored 4.2! Byddai'r rhan fwyaf o bobl yn edrych yn wirion mewn ffasiwn gar ond yr oedd yn siwtio Robin i'r dim. Car smart, gonest, gwahanol, fel fo'i hun. Robin yw tad bedydd ein Robin ni a does dim rhaid dweud o ble y cafodd Robin ni ei enw.

I hwyluso'r teithio o Sling i Fangor prynais sgwter aill-law hefo'm pres poced pêl-droed. Ar hwnnw y teithiai

Maureen a minnau er nad oedd o mo'r peth gorau ar ddiwrnod gwyntog. Cofiaf i ni fod ar ein ffordd i Sling un tro ac wrth fynd rownd congl yn ymyl Llandygái daeth un hyrddiad o wynt cryfach na'i gilydd ac fe stopiodd y sgwter fel petai wedi trawo wal frics. Cododd ei olwyn flaen i'r awyr yn union fel y gwnâi Trigger, ceffyl Roy Rogers, ar ddechrau pob ffilm. Ond o leiaf, fe wyddai Roy fod y ceffyl am wneud hynny. Daeth y cyfan yn gwbl annisgwyl i mi a fedrwn i ddim hyd yn oed meddwl am ddweud 'Whoa, Trigger.'

Dydi Maureen wedi gwella dim fel pasinjar ers y diwrnod yr aem trwy dref Llanrwst a hithau'n gweld Dafydd Elis Thomas yn cerdded ar y palmant. Gan fy mod i'n canolbwyntio ar y ffordd welais i mo Dafydd. Y cwbl a glywais i oedd bloedd yn fy nghlust — yr enw 'Dafydd' erbyn i mi ddeall wedyn — a theimlo'r peiriant yn mynd i bob man ar yr un pryd. Maureen oedd wedi troi reit rownd y tu ôl imi er mwyn cael codi llaw. Fe wafrodd y sgwter bach fel dyn chwil am hydoedd a minnau'n reslo hefo'r cyrn llywio. Bu bron i'r ddau ohonom ddiweddu'n dwt yn ffenest rhyw siop gacennau.

Cafwyd sawl tro trwstan ar y sgwter ond oriau lawer o deithio rhwydd, pleserus. Traethau Ynys Môn oedd rhai o'r cyrchfannau, Llanddwyn a'r Berffro yn arbennig.

Bu Maureen yn gweithio yn y caffi ar gopa'r Wyddfa un haf a byddwn yn mynd i stesion yr Wyddfa yn Llanberis i aros amdani. Ann Dwynwen (Davies heddiw) oedd yno hefyd. Ann ac Emlyn Davies, carwriaeth arall o'r coleg.

Fe gymerodd Mam a 'Nhad at Maureen yn syth bin. Roedd Mam yn dweud byth a beunydd pa mor dlws oedd hi, a dweud hynny fel petai'n wyrth fy mod i wedi cael gafael ar rywun o'r fath! A'm siarsio i ddal fy ngafael ynddi. Os nad oedd rhywun wrth fodd ei galon fedrai 'Nhad byth guddio'r ffaith ond pan ddôi Maureen trwy'r drws byddai gwên fel lleuad newydd ar ei wyneb.

Dwi'n meddwl i Tom, tad Maureen, gymryd ata i hefyd. Magwyd Maureen hefo'i nain yng Nghwm-y-glo a bu farw ei nain pan oedd Maureen yn bymtheg. Ymhen deufis chwalodd priodas ei rhieni ac aeth Maureen a Meical at eu tad, a'r ddau frawd ieuengaf, Meurig a Malcolm, at eu mam. Gof yn chwarel Dinorwig oedd Tom ond wedi gorfod rhoi'r gorau i'w waith oherwydd afiechyd. Bu farw ei dad pan oedd Tom yn ddwyflwydd a hanner a'i arwr mawr wedyn oedd Goronwy, brawd ei fam, a oedd yn byw yn 'Y Winllan', Penisarwaun. Gof yn y chwarel oedd Goronwy ac er i Tom basio'i 'Senior' yn yr ysgol yr oedd y dynfa i ddilyn ei ewythr yn ormod ac aeth yntau yn brentis i'r iard. Medrai Tom, yn ei breim, godi engan ond medrai hefyd drwsio wats. Yr un mwyaf medrus ei ddwylo y dois i ar ei draws erioed. Yr oedd sôn am ei allu yn ardal Cwm-y-glo. Pan dorrodd top carbiwretor y sgwter Lambretta yr unig ffordd y gallwn farchogaeth y peth oedd dal weiren y sbardun yn fy llaw drwy'r amser. Doedd dim posib' cael hyd i dop newydd ac allwn i ddim fforddio prynu carbiwretor cyfan newydd. Cymerodd Tom un olwg arno ac aeth ati i gynllunio top newydd, y 'spindle' a'r cwbl, gan ddefnyddio caead sospan alwminiwm. Yr oedd yn gryfach na'r gwreiddiol ac, yn wir, pan es ati i werthu'r sgwter ymhen yrhawg dywedodd y mecanic a archwiliodd y peiriant fod cynllun carbiwretor Tom yn well nag un Lambretta.

Bu ganddo ei efail ei hun yn y pentref am flynyddoedd a gwnâi sgriniau tân, platiau pres, gefeiliau, offer taro, giatiau a phob math o bethau eraill. Mae nifer o'i gynhyrchion gennym o hyd ac mae llawer mwy ohonynt ar hyd a lled y wlad.

Mynychai Tom ddosbarth nos Huw Morris-Jones (a Maureen hefo fo), ac âi i'r llyfrgell bob pythefnos a darllenai lyfr, bywgraffyddol fel rheol, bob wythnos. Doedd un dim yn well ganddo na chael dadl wleidyddol boeth. Cefais i dipyn o sioc pan glywais un o'r dadleuon yma am y tro cyntaf — rhwng Tom, Eric ei gefnder, a Maureen. Yr oedd yn rhywbeth hollol newydd i mi. Nid dadlau gwag oedd o chwaith ond dadlau llawn rheswm a ffeithiau, gyda rhagfarn bleidiol iach, wrth gwrs.

Yr oedd yn benderfynol y câi Maureen addysg coleg. Er i rai o'i gydweithwyr ar y pryd geisio'i ddarbwyllo mai ofer oedd aberthu i roi addysg i ferch gan y byddai'n priodi a magu teulu, ac yn enwedig felly os oedd dau neu dri o feibon i'w hanfon ymlaen hefyd, fe ddaliodd Tom yn gryf yn ei gred a gwnaeth yr un peth hefo Meical: bu yntau yng Ngholeg y Brifysgol ym Mangor.

Yr oedd Maureen a minnau felly yn gyfforddus iawn yng nghartrefi ein gilydd a datblygodd ein perthynas. Enillodd Maureen ei gradd (Cymraeg a Hanes) a phenderfynwyd priodi yn yr haf cyn iddi ddechrau ar ei hymarfer dysgu a minnau ar fy mlwyddyn olaf. Byw yng Nghwm-y-glo hefo Tom. Cawsom haearn smwddio yn anrheg gan John Gwil — 'y diweddara un,' meddai. Cefais innau fy ngradd (Cymraeg a Saesneg) a ganwyd Robin ym mis Awst.

Y pryd hwnnw doedd o ddim yn arferiad i dad fod yn

bresennol yn ystod y geni. Mae'n chwith gen i feddwl heddiw i mi golli genedigaeth pob un o'r hogia, er na wn i ddim sut y buaswn wedi dygymod â bod yno chwaith. Yr hyn a ddigwyddodd ar y diwrnod oedd fod Tom a minnau wedi dilyn yr ambiwlans i Fangor ar sgwter ac wedyn aros i gael y newyddion yn yr ysbyty.

Erbyn hyn yr oeddwn wedi dod i 'nabod Eirlys, mam Maureen. Mae Eirlys yn fam yng nghyfraith arbennig. Yn un peth mae gan ei mab yng nghyfraith feddwl y byd ohoni! Mae hi'n ysgrifenyddes heb ei hail, a digon o amynedd hefo plant. Buasai wedi gwneud athrawes feithrin ardderchog. Yn wir, fe geisiodd mwy nag un ei pherswadio i wneud hynny.

Go brin y gallasai Maureen a minnau fod wedi cwblhau popeth, yn enwedig teithio gyda'n gilydd yn y blynyddoedd diwethaf 'ma, oni bai am y gwarchod parhaus y mae Nain wedi'i wneud. Mae hi wedi bod fel aur hefo Guto.

Dois i 'nabod Taid a Nain Maureen. Robin Lloyd Jones, ei thaid, oedd un o'r dynion mwyaf y cefais y fraint o'i gwmni. Buaswn wedi hoffi'i 'nabod yn llawer cynt. Chwarelwr diwylliedig, Sosialydd ac Undebwr cadarn, a chymwynaswr bro. Yr oedd Taid wedi darllen yn eang ac wedi actio cryn dipyn hefo cwmni lleol pan oedd o'n hogyn ifanc. Byddwn wrth fy modd yn mynd i dŷ Nain a Taid. Paned yn syth ar ôl cyrraedd a Nain yn amenio popeth a ddywedai Taid.

Cawsom nifer o lyfrau ar ôl Taid, a chasgliad cyfan o weithiau Dickens yn eu mysg. Niclas y Glais oedd ei arwr mawr.

Rhwng popeth yr oedd bywyd go iawn wedi dechrau.

Byw i Deithio

Ychydig cyn i mi adael y coleg cefais alwad sydyn un diwrnod yn gofyn i mi wneud drama deledu. Bu damwain ar y mynydd uwchben Waunfawr ac fe laddwyd yr actor Wyn Jones ac anafwyd Owen Garmon a Lisabeth Miles. Yr oedd Wyn ac Owen ar y pryd yn ymarfer 'Pros Kairon' ar gyfer telediad ohoni ac fe benderfynwyd ailgastio er mwyn i'r telediad fynd rhagddo. Aubrey Richards a gafwyd i chwarae rhan Wyn a minnau i wneud rhan Owen.

Cofiaf yn dda mor nerfus yr oeddwn wrth fynd i'm hymarfer cyntaf. David Lyn, Gaynor Morgan Rees, Iona Banks a Clive Roberts oedd gweddill y cast ac roedden nhw eisoes yn gwybod y ddrama tu chwyneb allan. Nid gwaith hawdd oedd cychwyn hefo sgript yn y llaw pan oedd pawb arall yn gwybod pob llinell ac yn 'nabod ei gymeriad ond bu Wilbert yn ofalus ac aml ei gyfarwyddyd a gwnaeth imi deimlo'n gartrefol. Roedd Aubrey a'i holl brofiad yn help garw hefyd, yn enwedig pan ddaethom i'w recordio yn y stiwdio yng Nghaerdydd. Yr oedd yn gwylio fy ngolygfeydd ac yn rhoi awgrymiadau imi ar y dechneg o actio teledu.

Dyna'r unig ddrama deledu i Mam fy ngweld ynddi. Ychydig wythnosau wedi i 'Pros Kairon' ymddangos ar y teledu cafodd strôc ddrwg ac er iddi fyw am wythnos wedyn ddaeth hi ddim trwyddi. Tystiodd y dyrfa fawr a ddaeth i'w chynhebrwng beth oedd yr ardal yn feddwl ohoni.

Bu Wilbert cystal â'i air. Y diwrnod y daeth fy nghanlyniadau gradd es ato i ofyn am waith a dywedodd ei fod am imi chwarae rhan 'Dewi' yn nrama newydd Saunders Lewis, 'Cymru Fydd', yn Eisteddfod Y Bala.

Es draw i'r Groeslon i weld John Gwil ac i ddweud y newydd da, sef fy mod am fynd yn actor proffesiynol. Gofynnais am air neu ddau o gyngor ond y cwbl a ddywedodd oedd, 'Cofia di, boi bach, pan wyt ti'n sathru cyrn eu bod nhw'n canu'n hir ac yn uchel.'

Fedra i lai na chredu nad oedd o ddim yn orhapus fy mod am wneud gyrfa ohoni. Fel petawn i'n mynd o'i afael rhywsut. Yn sicr, doedd o ddim yn hapus fy mod i'n mynd at Gwmni Theatr Cymru. Yn ei hunangofiant ei hun mae'n llawdrwm iawn ar actorion proffesiynol Cymru a phetawn wedi dweud fy mod yn mynd i'r Old Vic efallai y buasai wedi bod yn fwy cefnogol. Yr oedd ei ymateb i'r newydd yn dipyn o siom i mi.

Yn Neuadd Goffa Y Felinheli yr oedd yr ymarferion a bu Saunders Lewis yno hefo ni am wythnos. Cofiaf i ryw actor ddweud yn rhywle fod Bernard Shaw wedi bod mewn ymarferion drama o'i eiddo a'i fod yn dweud pob llinell gyda'i wefusau tra oedd yr actor yn llefaru. Rhywbeth yn debyg oedd hi hefo Saunders. Eisteddai Mrs Lewis ac yntau reit o'n blaenau a gwyliai bopeth â llygaid barcud.

Peter Gruffydd oedd yn actio'r heddwas. Bu Pete yn dysgu yn Ysgol Dyffryn Ogwen am gyfnod ac roedd yn gymeriad a hanner. Hogyn galluog iawn a adawodd actio yn fuan wedyn a mynd yn ddarlithydd coleg rywle yng Ngogledd Lloegr.

Roedd Pete o'r farn na siaradodd yr un plisman erioed mor gywir â'r plisman yn y ddrama ond doedd wiw iddo newid gair o'r sgript. Byddai'n cymryd arno gael trafferth i gofio'i linellau! Un bore, yn lle dweud, 'Rhoddod ergyd galed i yrrwr y car yn ei ben gyda handlen haearn y car' dyma fo'n gwbl fwriadol yn dweud, 'A dyma fo'n rhoi homar o glonc i'r dreifar reit ar ei gneuan'. Rhewodd pawb, a rhai ohonom yn cael trafferth ofnadwy i beidio â chwerthin, nes i ni weld gwên fawr yn lledu tros wyneb Saunders. Roedd o wedi mwynhau'r llinell newydd yn fawr iawn.

Tra'n cael paned un bore ar ôl rhediad o'r ddrama gyfan dyma Wilbert yn gofyn a oedd gan rywun gwestiwn i'r awdur. Gofynnodd Emily (Emily Davies, a oedd yn actio Dora, fy 'mam') sawl un ac atebai Saunders yn ofalus a deallus. Daeth fy nhro i.

Oherwydd bod cymeriad 'Dewi' yn un pur gymhleth yr oeddwn am wybod, ynghanol ei gelwyddau (os celwyddau hefyd) a oedd yn ddidwyll wrth ddweud un araith wrth 'Bet'. Anghofia i byth mo'r ateb: 'Dim ond rhoi beth mae'r cymeriad yn ei ddweud y bydda i. Chi sydd i benderfynu beth mae'n ei feddwl.' Wnes i ddim gofyn cwestiwn arall.

Achosodd un peth benbleth mawr i mi yn ystod yr ymarferion olaf. Llinell 'Dora', 'Mae o wedi cael ei wefr olaf', ydi llinell olaf y ddrama, ond ddywedodd Emily erioed mohoni yn yr ymarferion. Wilbert a fyddai'n ei dweud bob tro. Roeddwn i'n methu'n lân â deall sut na fedrai Emily, hefo'i chof eithriadol, gofio llinell mor syml a phwysig.

Esboniodd Wilbert imi mai un o'r myrdd ofergoelion theatrig oedd y rheswm. Credai Emily mai anlwcus oedd dweud llinell olaf drama cyn y perfformiad cyhoeddus cyntaf. Ond chafodd Emily druan mo'i dweud hi ar y noson gyntaf yn Y Bala chwaith.

Tybed a ddylai fy enw fod yn y *Guinness Book of Records*? Ai fi ydi'r unig actor erioed a fethodd orffen ei berfformiad proffesiynol cyntaf ar lwyfan oherwydd i'r set fynd ar dân? Er holi a stilio, a darllen peth wmbreth o atgofion actorion chlywais i 'rioed am neb arall a gafodd yr un profiad.

Newydd ddechrau'r ail act yr oedd Lisabeth Miles a minnau pan sylwais fod tipyn o gynnwrf yn y gynulleidfa. Yr oedd pobl wedi dechrau siarad â'i gilydd, ambell un wedi codi ar ei draed, a rhai wedi cychwyn am y drws. Doedd gen i mo'r syniad lleiaf beth oedd yn bod. Gan fy mod yn wynebu'r gynulleidfa welwn i mo'r mwg yn codi o'r llenni yn y cefn ond buan iawn wedyn y clywais ei oglau. Llanwyd y neuadd â mwg yn sydyn iawn a gorfodwyd ni i adael y llwyfan a phawb o'r gynulleidfa i ymadael. Mewn gwirionedd doedd 'na fawr o dân. Un o'r llenni duon yn y cefn oedd wedi'i lapio'i hun am un o'r lampau ac wedi bod yn mudlosgi trwy'r act gyntaf mae'n debyg.

Doedd dim posib' cario 'mlaen y noson honno a safwn yn y coridor cefn wedi fy siomi'n lân. Cododd Ieuan Rhys Williams fymryn ar fy nghalon trwy ddweud, 'Penyberth 'to, myn yffarn i! Sinders Lewis.' Daeth John Gwil rownd y cefn a'r cwbl a ddywedodd oedd, 'Licio dy gôt di, boi bach,' a mynd i siarad hefo Conrad Evans.

Yr oedd Maureen a minnau yn aros yn y gwesty ger Llyn Gwernan, uwchlaw Dolgellau. Ar y ffordd yn ôl yno daethom ar draws damwain. Anferth o ddynes ar foto-beic bach wedi mynd i'r ffos! Bu'n rhaid ei chodi i'r car a mynd â hi, yn waed i gyd, yn ôl i'r gwesty. Yr oeddwn yn falch iawn o gael orig hefo Cynan wrth y bar ar ôl holl brofiadau'r noson.

Daeth pawb yn ôl am un ar ddeg fore trannoeth — y gynulleidfa a ninnau! A dyma ddechrau eto o'r ail act. Go brin bod neb wedi gwneud hynny chwaith na chynt nac wedyn. Dechrau cofiadwy iawn i'm gyrfa felly. Bydd yr Eisteddfod yn ôl yn Y Bala yn 1997 a byddaf innau wedi bod yn y swydd ryfedd hon am ddeng mlynedd ar hugain. Un arwydd sicr o henaint ydi cofio'r Eisteddfod Genedlaethol yn yr un lle ddwywaith!

Yr arfer bryd hynny ac am rai blynyddoedd wedyn oedd perfformio drama yn yr Eisteddfod am ddwy neu dair noson ac ymhen rhyw ddeufis ei theithio o amgylch Cymru. Gwely a brecwast yn unig a delid gan y Cwmni ac isel iawn oedd y cyflog ond cawn ddwybunt yn ychwanegol am ddreifio'r bws mini y teithiem ynddo. Yr oedd byw yn anodd, yn enwedig felly i Maureen a Robin gartref. A hithau'n edrych ar ôl ei thad hefyd bu'n gyfnod caled. Mae gen i le mawr i ddiolch.

James Cagney!

Taith ar y cyd oedd taith 'Cymru Fydd', ar y cyd hefo'r Welsh Theatre Company a'u cynhyrchiad nhw o 'Billy Liar'. Hogyn o'r enw Anton Darby oedd yn actio 'Billy' a daeth y ddau ohonom yn dipyn o ffrindiau yn ystod y daith. Mae Anton erbyn hyn wedi rhoi'r gorau i actio ac yn Rheolwr Cynyrchiadau llwyddiannus iawn.

Ar ôl i'r daith ddod i ben a minnau gartref yng Nghwm-y-glo dyna gnoc ar y drws un bore. Dennis Post hefo teligram yn ei law. Dyma rwygo'r amlen ac ar y papur wele'r geiriau *'Please ring Shepherd's Bush 8000'*. Doedd dim ffôn acw felly dyma groesi i'r ciosg dros y ffordd a deialu. Rhif y BBC yn Llundain oedd o, a dyma fi'n esbonio i'r ferch a atebodd fy mod wedi cael y teligram ond gan nad oedd enw arno fo doedd gen i ddim syniad pwy oedd wedi'i anfon. Dywedais mai John Ogwen oedd fy enw. Os felly, meddai hi, mae'n siŵr mai'r Adran Gerddoriaeth oedd wedi'i anfon. Yr oedd hi'n meddwl mai John Ogden, y pianydd byd-enwog, oeddwn i.

Efallai y dylwn esbonio i mi gychwyn fy ngyrfa fel John Hughes (dyna oeddwn yn 'Pros Kairon' a 'Cymru Fydd') ond pan ymaelodais ag 'Equity', Undeb yr Actorion, dywedwyd wrthyf fod 'na John Hughes eisoes yn aelod ac y byddai rhaid i mi newid fy enw. Teimlwn fod John Sling yn rhy blwyfol ac felly dyma ymestyn mymryn ar yr ardal a dwyn enw'r dyffryn!

Ar ôl hydoedd, a llawer iawn o ddau sylltau, gofynnais am gael fy nhrosglwyddo i'r Adran Ddrama. Doedd y ferch a atebodd yn fan'no ddim yn gwybod pwy a anfonodd y teligram chwaith ond fe gymerodd rif y ciosg a dweud y ceisiai ddod o hyd i'r person oedd yn gyfrifol. Rŵan, ciosg bach prysur iawn oedd ciosg Cwm a bu'n rhaid i mi sefyll fel iâr wrth ddrws y bocs coch tra bu sawl person arall yn ei ddefnyddio.

O'r diwedd yr oedd yn wag a dyma'r gloch yn canu. Dyn o'r enw Philip Dudley oedd wedi anfon y teligram ac ar ôl dweud nad oedd erioed o'r blaen wedi ffonio actor i giosg, gofynnodd a oeddwn wedi darllen drama Emlyn Williams, 'The Corn Is Green'. Flynyddoedd yn ôl bellach meddwn innau. Dywedodd wrthyf am ei darllen hi eto'r noson honno gan edrych yn arbennig ar ran 'Morgan Evans', ac yna cymryd y trên cyntaf i Lundain drannoeth a rhoi galwad iddo fo o dderbynfa 'Television Centre' ar ôl cyrraedd.

Un peth handi iawn am giosg yn y cyfnod hwnnw oedd y medrech wneud galwadau am ddim! Fel hyn roedd hi'n gweithio. Yr oedd Robin Griffith wedi mynd i Goleg Drama yr 'East 15' ar ôl gadael Bangor a byddem yn trefnu iddo ffonio'r ciosg ar ryw amser penodedig. Llanberis 429X oedd rhif y ciosg — X i ddynodi ciosg am wn i. Byddai Robin wedyn yn gwneud galwad 'Reverse Charge' o Lundain i Lanberis 429 a minnau'n ateb ac yn dweud y buaswn i'n talu'r gost! Gweithiai bob tro. Y noson y daeth y teligram yr oedd galwad wedi'i threfnu a dyma ddweud wrth Robin y byddwn yn Llundain drannoeth.

Ar ôl codi am bump cyrhaeddais 'TV Centre' erbyn

hanner dydd a chyfarfod Philip Dudley, hogyn tua phump ar hugain oed. Y peth cyntaf a ddywedodd cyn dweud 'Helô' nac ysgwyd llaw oedd, *'Well, you look the part. Here's hoping you can act.'*

I fyny â ni i'w 'stafell. Yno yn disgwyl yr oedd clamp o ddyn mawr mewn siwt ddrudfawr yr olwg a blodyn yn ei frest. Pennaeth Drama'r BBC — Cedric Messina. Yr oedd o yno, erbyn gweld, oherwydd mai cynhyrchiad 'Play of the Month' oedd hwn. Gofynnwyd i mi ddarllen dwy ran, a gallwn weld fod y ddau wedi'u plesio. Dyma Messina'n gofyn faint o'r gloch roedd y trên am adref. Trên bump, meddwn innau, oherwydd fy mod wedi trefnu i gyfarfod ffrind y pnawn hwnnw.

Roedd y ddau am imi aros hefo nhw am y pnawn gan eu bod am drefnu i'r actores Wendy Hiller fy ngweld. Hi oedd yn mynd i chwarae rhan 'Miss Moffat' ac yr oedd yn bwysig iawn ei bod hi'n cael golwg arna i. Yr oedd enw Wendy Hiller yn gybyddus i mi oherwydd fy mod wedi'i gweld sawl gwaith mewn ffilmiau a gwyddwn iddi ennill 'Oscar' am ei pherfformiad yn 'Separate Tables'.

Am hanner awr wedi dau yn Euston yr oedd Robin a minnau wedi trefnu i gyfarfod. Wyddwn i ddim sut i gael gafael ynddo i ddweud y byddwn yn hwyr a wyddwn i ddim pa mor hwyr chwaith gan y byddai'n rhaid i Wendy Hiller deithio i Lundain o Beaconsfield.

Tua chwarter i dri canodd y ffôn yn y swyddfa. Galwad i mi. Robin o Euston. Dywedais wrtho, yn Gymraeg wrth gwrs, beth oedd yn digwydd a threfnu i gyfarfod am chwarter i bump cyn i mi orfod neidio ar y trên. Ar ôl rhoi'r ffôn yn ôl yn ei grud sylwais fod yr ysgrifenyddes, Philip Dudley a Cedric Messina yn edrych fel lloeau arna

i. Doedd yr un ohonynt wedi clywed Cymraeg o'r blaen! *'That proves you're Welsh,'* meddai Messina, a minnau'n meddwl, o gofio fy acen, eu bod eisoes wedi cael digon o brawf o hynny.

Esboniodd Philip sut yr oedd wedi cael fy nghyfeiriad i anfon y teligram. Roedd wedi cyfarfod Anton Darby yng Nghlwb y BBC y noson cynt a hwnnw'n dweud ei fod newydd fod yn gweithio yng Nghymru. Gofynnodd Philip iddo a oedd wedi digwydd gweithio hefo *'a young Celtic-looking Welsh actor'*. Yr oedd o eisoes wedi cyfweld deugain a mwy ond heb gael neb i'w lwyr blesio. Oes, mae 'na lawer o lwc yn y busnes yma — y lwc o fod yn y lle iawn ar yr adeg iawn.

Cyrhaeddodd Wendy Hiller tua hanner awr wedi tri. Dynes dal, osgeiddig, a hynod o fonheddig. Yr oeddwn yn reit nerfus ond gwnaeth imi deimlo'n gartrefol iawn drwy sgwrsio am tua chwarter awr cyn darllen y ddrama. Yr oedd yn ymwelydd cyson â Sir Fôn, erbyn deall, a hi a'i gŵr, y dramodydd Ronald Gow, wedi agor un o Wyliau Drama Môn yn y Theatr Fach, Llangefni.

Ar ôl darllen y ddau ddarn, yr un lle mae Miss Moffat yn cyfarfod Morgan am y tro cyntaf a'r un lle mae o'n dod yn ôl o'r coleg yn Rhydychen, dyma hi'n dweud, *'That was very good indeed, John.'* Ddywedodd neb fy mod i wedi cael y rhan ond dywedodd Philip wrtha i am ei ffonio yn ei gartref ar ôl imi gyrraedd Bangor.

Gwyddwn fy mod yn agos iawn at gael y rhan ac ar ôl dweud yr hanes wrth Robin yn Euston dyma'r ddau ohonom yn penderfynu mynd am beint a ffonio Philip cyn i mi gychwyn hefo trên saith. Tua chwarter-i dyma ffonio a chael gwybod fy mod yn llwyddiannus. Cael hanner sydyn iawn, iawn i ddathlu!

Daeth Philip Dudley a minnau'n dipyn o ffrindiau yn ystod yr ymarferion. Yr oedd y ddau ohonom yn mynd allan bron bob nos am bryd a byddai Robin yn ymuno hefo ni pan oedd ei ymarferion coleg yn caniatáu. Ar ôl bod wrthi am tua phythefnos — yr oedd y cyfnod yn dair wythnos i gyd — dyma fo'n dweud un noson, *'It was all right to book you through BBC Cardiff wasn't it? Seeing you don't have an agent.'*

Yr oedd Mr Wyn Rowlands, Pennaeth Cytundebau yng Nghaerdydd, wedi rhoi cytundeb arbennig i mi ar gyfer 'The Corn is Green'. Trigain punt yn fwy nag a gefais am y telediad o 'Cymru Fydd'. Yr isafswm posib', sef naw deg a gefais am honno. Arian mawr iawn o'i gymharu â'r hyn a enillwn am dair wythnos yn y theatr. Ond yr oedd Mr Rowlands wedi gofalu rhoi'r geiriau 'Special High' ar y cytundeb yma oherwydd ei bod, yn ei eiriau o, 'yn ddrama bwysig yn Llundain'. Golygai hynny na chawn hawlio yr un ffi y tro nesaf y gwnawn ddrama awr a hanner yn Gymraeg.

Pan ddywedais wrth Philip faint oedd y ffi dyma fo'n dweud yn uchel, *'What?!'* Camddehonglais ei syndod, a dweud yn ddiniwed amddiffynnol, *'But it is Special High.'*

Aeth ymlaen i esbonio: petawn wedi cael fy llogi gan y BBC yn Llundain, am ran mor flaenllaw mewn cynhyrchiad 'Play of the Month', y buaswn yn derbyn tua phum gwaith cymaint! Yr oedd yn flin, a dweud y lleiaf. Addawodd roi oriau ychwanegol o ymarfer dros ddau benwythnos imi er mwyn codi mymryn ar y tâl. Mae copi o'r cytundeb gwreiddiol gen i byth. Dysgais lawer y noson honno.

Yr oedd tri diwrnod wedi'u neilltuo yn y stiwdio ar gyfer y ddrama. Pan gyrhaeddais y 'stafell wisgo ar y bore cyntaf yr oedd parsel yn fy nisgwyl: anrheg gan Wendy Hiller, sef llyfr ac ynddo yr oedd y geiriau, *'To John, and a future your talent richly deserves'*. Mae gen i feddwl y byd o'r llyfr hwnnw. Bu ei dderbyn yn ysbrydoliaeth am y tri diwrnod oedd i ddod.

Fe aeth pethau'n rhyfeddol o dda. Roedd Maggie John, Glyn Houston, Ronald Fraser, Adrienne Posta a Dyfed Thomas ifanc iawn yn y cast. Yr olygfa olaf i'w recordio oedd yr olygfa 'dychwelyd o Rydychen'. Yr oedd pawb o'r cast yn sefyll o gwmpas y setiau yn y stiwdio yn gwylio'r recordiad a phan ddaeth i ben roedd pawb fel un gŵr yn cymeradwyo. Minnau ar ben fy nigon ond dyma Wendy Hiller yn dweud, *'I think we could do it better than that.'*

Fe fynnodd 'take' arall. Ar ôl cael gweld y ddau gynnig gan Philip, a wyddai nad oeddwn i eisiau gwneud un arall, yr oedd yn amlwg mai hi oedd yn iawn. Yr oedd gormod o emosiwn yn y cyntaf; yr oedd dan reolaeth yn yr ail. Gwers arall imi.

Cefais fy llun ar ddalen flaen y *Radio Times* ac mewn cyfweliad y tu mewn galwodd Wendy Hiller fi yn *'All-Celtic sensation. There is nothing Anglo-Saxon in his make-up at all.'* Doedd dim rhaid iddi sôn gair amdanaf, a fyddai llawer un ddim wedi gwneud.

Dydd Gŵyl Dewi (pa ddiwrnod arall?) 1968 yr ymddangosodd y ddrama. Bu'r Wasg Seisnig yn garedig iawn am fy mherfformiad. Yn wir, fe'm disgrifiwyd gan

George Melly, beirniad teledu'r *Observer* ar y pryd, fel *'the new James Cagney'*! Mae'n amlwg nad oedd George wedi fy ngweld i'n dawnsio! Er cymaint y gwerthfawrogwn ei sylw, a'r gymhariaeth, petai wedi dweud 'Spencer Tracy' buasai hynny wedi bod yn werth y byd yn grwn. Tracy ydi fy ffefryn i. Fel y dywedodd Humphrey Bogart, *'Spence was the best because you couldn't see the wheels movin'.'*

Flynyddoedd wedyn, yng Nghaerdydd, y dywedodd Emlyn Williams ei hun wrtha i iddo fwynhau'r perfformiad.

Bu farw Philip Dudley yn ddyn ifanc iawn — prin dros ei ddeugain — ar ôl gyrfa ddisglair.

Heb i mi wybod, ar noson olaf y recordiad yn Llundain, trefnodd i Peter Crouch, un o 'agents' pwysicaf y diwydiant ar y pryd, ddod i gael golwg arna i. Yr oedd wedi dweud sawl gwaith y dylwn gael un ond wyddwn i ddim byd am bobl o'r fath. Yn 'stabl' Peter Crouch yr oedd pobl fel Glenda Jackson, teulu'r Redgraves, Peter O'Toole, James Bolam, Sir John Neville, Nicol Williams a llu o enwogion eraill.

Cefais gynnig ymuno â'r stabl honno, a daeth Maureen hefo mi i Lundain i gyfarfod Peter. Gall Maureen 'nabod pobl yn llawer gwell na fi ac fe gymerodd ato'n syth. Gan fy mod eisoes wedi derbyn gwaith yng Nghymru doedd dim angen iddo chwilota am ddim imi'i wneud am sbel. Yr oedd i actorion Cymraeg gael 'agents' yn beth prin iawn yr adeg honno. A dweud y gwir, fedra i ddim meddwl am neb a weithredai felly bryd hynny. Galwad uniongyrchol gan gynhyrchydd neu gyfarwyddwr a gaem ni.

Fodd bynnag, cefais alwad gan Peter i ddweud ei fod wedi cael diwrnod o waith imi ar ffilm, ffilm Peter Sellers a Goldie Hawn, 'There's a Girl in my Soup'. Un llinell oedd gen i, sef cwestiwn gan ddyn papur newydd i Peter Sellers fel yr âi i fyny grisiau yn Heathrow. Rhaid bod yn graff iawn i 'ngweld i o gwbl. Ond mae gen i rywbeth bach i gofio fy mod i wedi bod yno. Ar y wal yn y garafán lle'r oedd chwech ohonom yn newid ein dillad — wel, pawb yn ei ddillad ei hun oedd hi, a dweud y gwir — yr oedd 'call-sheet' y diwrnod. O dan enw Peter Sellers a Goldie Hawn mae fy enw i! Pan oedd pawb yn gadael y garafán arhosais ar ôl am eiliad a rhoi'r darn papur yn fy mhoced.

Cafodd Peter Crouch ran imi mewn un ddrama o'r gyfres 'Triangles' i gwmni Granada, sef gwahanol straeon am berthynas rhwng tri o bobl. Hanes carwriaeth rhwng un ddynes (Anna Massey) a dau ddyn (Ray Brooks a minnau) oedd y stori. Baz Taylor, un o gyfarwyddwyr cyson Coronation Street, oedd y giaffar.

Yr oedd gweithio hefo Anna Massey yn wers ac yn brofiad. Yr oedd yn hynod o ofalus o'i thechneg deledu a byddai'n sgrifennu nodiadau manwl ar ei sgript. Treuliais oriau yn ei gwylio yn y stiwdio a sylwi fel y byddai'n newid ongl ei phen i siwtio ongl y camera. Yr oedd yn serchus iawn yn yr ymarferion ond ddim yn cymdeithasu rhyw lawer. Hyd yn oed amser paned byddai â'i thrwyn yn ei sgript.

Cawn groeso mawr yn swyddfa Peter Crouch yn Wardour Street, a hynny gan yr un oedd yn cadw llyfrau taliadau iddo, sef Gwyddeles o'r enw Margaret. Yr oedd y ffaith fy mod i'n Gymro yn ddigon, ond Cymro

Cymraeg, hynny oedd yn cyfrif fwyaf iddi hi. Wrth anfon arian imi byddai bob amser yn rhoi rhyw neges fach bersonol ar waelod y daleb. Wn i ddim yn iawn beth a ddigwyddodd i Margaret ond un diwrnod daeth dau blisman i'm gweld a gofyn a oeddwn wedi derbyn pob taliad o'r swyddfa. Pob dimai, meddwn innau. Mae'n debyg fod rhai miloedd wedi diflannu i goffrau 'Achosion Gwyddelig'. Diflannu tua'r un pryd â Margaret. Wn i ddim a ddaeth hi fyth i'r fei ond fe wnaeth lanast aruthrol ar fusnes Peter Crouch.

Er i Peter a minnau gadw cysylltiad am flynyddoedd fûm i ddim yn hir fel aelod o'i stabl. Yr oedd yn anfodlon, nid yn gas, ond anfodlon fy mod i'n gweithio cymaint yng Nghymru. Er y gallai fod wedi gweithredu ar fy rhan nid oedd am wneud hynny oherwydd, fel y dywedodd o, ar ôl iddo hawlio'i 15% o'r ffi, ychydig iawn a fyddai'n sbâr i mi! Yr oedd wedi trefnu cyfweliad imi ar gyfer rhan mewn cynhyrchiad llwyfan yn Theatr yr Haymarket un tro pan ddywedais nad oedd fawr o bwynt imi fynd yno gan y byddwn yng Nghaerdydd yn gweithio ar gyfres o raglenni i ysgolion.

Yn naturiol, wnaeth hynny ddim plesio, na'r ffaith i mi wneud cyfweliad da iawn gyda'r Royal Shakespeare a chael gwahoddiad i gyfweliad pellach. Yr oedd Peter o'r farn eu bod am gynnig cytundeb i mi ond fedrwn i ddim meddwl am dreulio dwy flynedd yn Stratford a Llundain. Gwyddwn yn iawn mai actor yn gweithio bron yn gyfan gwbl yn yr iaith Gymraeg a fyddwn i. I wir lwyddo byddai'n rhaid colli fy Nghymreictod. Dim ond un Hugh Griffith sydd 'na! Does dim o'i le ar fy Saesneg na'm gwybodaeth o lenyddiaeth Saesneg ond byddai angen trawsnewidiad sylweddol i'm troi'n actor a allai sefyll ochr yn ochr ag actorion y mae'r Saesneg yn famiaith iddynt. Yr oeddwn wedi defnyddio, ac yn defnyddio, cyn lleied ohoni yn fy mywyd. Fel Sais, doedd Peter ddim yn deall hynny.

Un diwrnod dywedodd, *'You'll have to make up your mind, John, whether you want to be an actor or a Nationalist.'* Atebais fy mod am geisio bod yn dipyn o'r ddau!

A dyna ddeall ein gilydd ac ysgwyd llaw.

Teithio i Fyw

Ar ôl gadael y BBC sefydlodd Wilbert Lloyd Roberts Gwmni Theatr Cymru fel cwmni annibynnol ar ei draed ei hun. Hyd yma bu'n gysylltiedig â'r BBC oherwydd bod Wilbert yn Gynhyrchydd yn y BBC hefyd. Cefais gynnig cytundeb theatr llawn amser. Ar yr un pryd dechreuodd y BBC hefyd gynnig cytundebau tymor hir i berfformwyr. Yn ôl rhai, ymgais oedd hynny i dagu'r babi theatr newydd yn ei grud. Wn i ddim am hynny, ond cofiaf nad oedd fawr o gariad rhwng y ddau sefydliad yr adeg honno. Yn wir, fe ddywedodd un cynhyrchydd radio o'r BBC wrthyf nad oeddwn wedi gwneud dim lles i'm gyrfa trwy dderbyn cytundeb gan Gwmni Theatr Cymru. Yr awgrym oedd na fyddai'r BBC yn ystyried cyflogi unrhyw un a ymunai â'r Cwmni.

Wnaeth hynny ddim digwydd yn llwyr ond ychydig iawn o gynigion a gafwyd yn ystod y flwyddyn neu ddwy gyntaf. Gwn i'r actores Nesta Harries ddweud wrth un cynhyrchydd yn blwmp ac yn blaen am fy nefnyddio er gwaethaf y ffaith fy mod wedi pechu. Tybed a oedd John Gwil yn iawn wedi'r cwbl a bod 'cyrn yn canu'n hir ac yn uchel'? Tybed ai dyna'r unig gyngor y gellid ei roi i rywun yn y pen draw? Diolch na chanodd y cyrn mor hir â hynny.

Dewisais y cytundeb theatr gan mai yn y theatr y mae actor yn magu profiad. Tri a dderbyniodd gynnig Wilbert, sef Beryl Williams, Gaynor Morgan Rees a minnau.

Ar y pryd, wrth lansio'r Cwmni, disgrifiodd Wilbert ein penderfyniad fel un dewr iawn. Wn i ddim am ddewr o'm rhan i fy hun, ond yn sicr doedd o ddim yn benderfyniad economaidd call. Bu'n amser caled i ni fel teulu. Ar ysgwyddau Maureen y disgynnodd y baich o gael dau ben llinyn ynghyd. Hi oedd gartref yn magu tra oeddwn i i ffwrdd ar deithiau. Er i ni orfod byw ar cyn lleied, o edrych yn ôl heddiw, gwn i mi wneud y penderfyniad iawn cyn belled ag y mae dysgu'r grefft o actio yn bod.

Yr oedd gan Wilbert yr un parch at lefaru ag oedd gan John Gwil. Yn ddarllenwr a dadansoddwr sgript craff yr oedd ei gyfarwyddyd i mi bob amser yn adeiladol. Elwais yn fawr o'r blynyddoedd cyntaf hynny yn ei gwmni.

Mae ymarferion theatr yn rhoi amser i greu cymeriad gam wrth gam. Fydda i byth yn eistedd i lawr i ddysgu 'run llinell cyn i'r ymarferion ddechrau, na gyda'r nos ar ôl i'r ymarferion ddechrau chwaith. Ar wahân i'r ffaith y gall y sgript newid yn sylweddol cyn gweld golau'r llwyfan mae'n well gen i wneud y gwaith dysgu wrth ymarfer. Yn y cyfnod cynnar yma yr oedd y broses o ymarfer yn hanfodol i ddatblygiad y grefft.

Mewn teledu, yn enwedig y dyddiau hyn, peth prin iawn yw amser o unrhyw fath. 'Time is money,' fel y bydd rhywun yn siŵr o ddweud ar bob cynhyrchiad. Felly, mae gofyn i'r cymeriad fod yn barod gennych cyn cychwyn ffilmio'r olygfa gyntaf ac fe allai'r olygfa honno fod ym mhennod olaf cyfres!

Mae'r tair blynedd a dreuliais yn y theatr bryd hynny wedi talu ar ei ganfed i mi erbyn heddiw. O leiaf, dwi'n hoffi meddwl hynny. Mae'n haws o lawer addasu'ch crefft o lwyfan i deledu — mater o gynilo yn bennaf — nag yw troi'n sydyn i gerdded ar lwyfan ar ôl blynyddoedd o actio teledu.

Mae cymaint o'n hactorion ifanc heddiw yn byw yn gyfan gwbl ar waith teledu yn unig (a diolch fod hynny'n bosibl) ond pan ddaw cyfle i fynd ar lwyfan mae rhai'n ymddangos yn anghyffordddus iawn ac yn tueddu i fynd ar goll ac anghlywadwy. Mae'r rhaff yn mynd reit drwy'r twll heb gyffwrdd yr ochrau.

Y drefn yn y cyfnod hwnnw fyddai perfformio tri chynhyrchiad yn yr Eisteddfod Genedlaethol, yna teithio'r tri chynhyrchiad trwy Gymru, un ar y tro wrth reswm.

Yr oedd cael cwmni Beryl Williams yn fraint. Ar wahân i'w dawn fel actores, yr oedd Beryl yn bersonoliaeth arbennig iawn. Roedd gan bawb barch mawr iddi — y criw un ac oll, yr actorion dan hyfforddiant a ymunodd â ni maes o law, a'r cynulleidfaoedd ar hyd y wlad. Byddwn yn falch bob amser o unrhyw gyngor gen Ber ac fe'i rhoddai'n dawel a diffwdan. Mae llawer i'w ddweud am y ffordd y daw actor neu actores i'r llwyfan am y tro cyntaf mewn drama. Beryl yn dod i mewn yn 'Tŷ ar y Tywod' (Gwenlyn Parry) yw un o'r mynediadau hynny a saif yn y cof am byth. Pan gafodd Beryl y wobr BAFTA am ei pherfformiad arbennig o 'Nel' (Michael Povey) yr oedd yn ffrwyth blynyddoedd o grefft.

Roedd Michael Povey newydd gael ei un ar bymtheg pan ymunodd â'r Cwmni. Ychydig a feddyliais i yr adeg honno y byddai'n tyfu i fod yn un o'n dramodwyr mwyaf dawnus. Yr oedd yn frwdfrydig tu hwnt, yn ormodol felly ym marn Wilbert weithiau; er enghraifft, pan gynigiai gario telyn ar ei ben ei hun i lawr rhes o risiau! Yr oedd, ac y mae o hyd, yn greadur cydwybodol. Os oedd Meic yng ngofal y 'props' gallech fentro y byddai pob un yn ei le, a phan ddaeth, yn fuan iawn, yn rheolwr llwyfan doedd mo'i well. Mae'r un mor gydwybodol hefo'i sgriptiau heddiw. Dwi'n siŵr y cytunai i'r blynyddoedd cynnar hynny roi iddo sylfaen dda ar gyfer y sgrifennu oedd i ddod. Dwi wedi elwa o'i allu. Mwy am hynny eto.

Dyma flynyddoedd ail-wneud 'Cilwg yn Ôl', 'Tŷ ar y Tywod', 'Problemau Prifysgol', 'Dawn Dweud' a 'Daniel Owen', ymysg pethau eraill.

Byddai gennym sioeau i ysgolion hefyd. Gwnaem y rheiny yn y bore neu'r prynhawn, weithiau bore a phrynhawn, ac wedyn perfformio'r dramâu gyda'r nos. Byddai'r Cwmni'n gofalu am lety i ni mewn gwestai pur dda ond yr oedd yn rhaid bwyta rhwng brecwast a gwely ac yr oedd cost teithio yn fawr. Gwn imi ddweud hynny'n barod ond mae'n deg ei ddweud eto. Fe'i caf ar draws fy wyneb yn aml, yn enwedig mewn siop neu westy, ac yn fwy fyth ers dyfodiad S4C, nad ydi talu ddim yn broblem i rywun fel fi! Hyd yn oed petai hynny'n wir, mae'r blynyddoedd cynnar hynny yn fyw iawn yn y cof. Does gen i 'run gronyn o gywilydd am fy enillion heddiw, a dydyn nhw ddim, gyda llaw, yn cyrraedd yn agos at hanner yr hyn roedd y Bonwr Phylip Hughes yn ei annoeth ddyfynnu'n ddiweddar. Daeth Phylip yn aelod o'n proffesiwn ar ôl blynyddoedd lawer yn y swydd saff o ddysgu. Ble roedd o pan oedd pethau'n dechrau? Daeth i mewn pan oedd digon o waith a digon o ddewis ar gael. Daeth i mewn ar ôl i eraill fraenaru'r tir a gwneud popeth yn barod iddo fo a'i dalent ddigamsyniol elwa arno.

Dydi hi ddim yn fêl i gyd ar actorion ifanc heddiw

chwaith. Nid mewn cyfresi hir y mae'r rhan fwyaf yn gweithio. Ond o leiaf, y maen nhw wedi mentro i mewn yn ifanc i ddiwydiant sy'n dal yn un ansicr. Mae angen bod yn y lle iawn ar yr adeg iawn o hyd.

Ar deithiau, roedden ni fel teulu o sipsiwn yn symud gyda'n gilydd. Yn naturiol, ceid sawl noswaith hwyr ar ôl perfformiadau. Er y bydden ni'r actorion yn ôl yn ein llety erbyn tua hanner awr wedi deg byddai'n berfeddion ar y criw llwyfan yn cyrraedd ar ôl tynnu'r set a'i llwytho'n barod erbyn drannoeth, yn enwedig mewn ambell le heb adnoddau cyfleus i'r pwrpas hwnnw. Prin fyddai'r adegau pan berfformid drama mewn lleoliad am fwy nag un noson ar y tro ac felly y mae gen i barch mawr i griw llwyfan y cyfnod hwnnw, a pharch at griw llwyfan pob cyfnod, o ran hynny.

Un o'r actorion 'dan hyfforddiant' a ddaeth at y Cwmni oedd Dafydd Hywel, D.H. neu 'Alf Garnant', fel y bedyddiodd Dewi Pws o! Cofiaf yn dda iawn gyfarfod D.H. am y tro cyntaf. Yr oeddem newydd dorri am ginio a minnau'n dod drwodd o'r 'stafell ymarfer. Yr oedd D.H. yn eistedd ym mynedfa'r swyddfa yn Stryd Waterloo, Bangor. Edrychai ryw fymryn ar goll. Dwi ddim yn meddwl iddo fod ymhellach i'r Gogledd nag Aberystwyth cyn hynny!

Cyflwynais fy hun iddo, a dyma ddeall mai Hywel oedd ei enw a'i fod yn dod o'r Garnant. Dywedais fy mod yn mynd i dafarn Glanrafon am damaid o ginio a gofyn iddo yntau ddod. Yr oedd ar ei draed mewn chwinciad a theg dweud i ni fod yn gyfeillion ers y funud honno. Tipyn o gamp a minnau'n Ogleddwr!

Degau o weithiau wedyn, yng nghwmni Dylan Jones,

Gwyn Parry (perthynas pell a chyd-ddisgybl ym Methesda), Mici Plwm a Grey Evans, y clywais ganu 'Yr Aman yw y gore' berfeddion nos. Cymaint felly nes gwybod y geiriau i gyd. 'In The Beginning' oedd un arall o'i ffefrynnau a byddai sawl rendring o honno hefyd. A sawl cân rygbi, a oedd yn bethau newydd iawn i mi. Un sy'n gweld popeth yn ddu a gwyn ydi D.H. Dwi ddim yn meddwl iddo glywed am y lliw llwyd erioed. Mae rhyw ddiawledigrwydd cyntefig ar un llaw ac anwyldeb rhyfeddol ar y llaw arall yn dalpiau cyfartal yn ei gyfansoddiad. Mae'r naill yn ei arwain i helynt a'r llall yn hawlio maddeuant iddo am greu'r helynt hwnnw. Petawn i unrhyw dro yn gorfod dewis un dyn i sefyll a'm hamddiffyn rhag degau o ymosodwyr gwallgo, y fo fyddai'r dyn hwnnw. Fe ymladdai i'r eithaf. Dydan ni ddim yn gweld ein gilydd mor aml y dyddiau hyn, ac efallai mai da hynny o gofio sut y mae hi pan gawn gwrdd. Y fo ydi tad bedydd answyddogol Rhys.

Un o'r digwyddiadau mawr ar daith yn ystod y cyfnod hwnnw oedd y diwrnod y trawyd D.H. yn wael. Ar daith hefo'r ddrama 'Y Ffordd' (T. Rowland Hughes) yr oedden ni ac yn aros yn 'Y Feathers', Aberaeron. Newydd ei pherfformio i gannoedd o blant yn yr ysgol leol. Pan ddaethom yn ôl i'r gwesty yr oedd D.H. yn cwyno nad oedd yn teimlo'n rhy dda. Yr oedd ei wyneb yn fflamgoch ac yn dechrau chwyddo ond fe aeth ymlaen ar y llwyfan y noson honno er ei fod yn edrych fel tomato ar ddwy goes. Yn ystod y nos gwaethygodd y chwydd ac erbyn y bore prin y gallech ei 'nabod. Yr oeddem yn cychwyn am Gaerfyrddin gan fod perfformiad yno am ddau o'r gloch y prynhawn. Fe aeth pawb a'm gadael i hefo D.H.

i fynd i weld y meddyg yn Aberaeron a theithio ymlaen wedyn yn y car.

Fel rhyw dad disgwyliedig eisteddwn yn y 'stafell aros tra oedd y meddyg yn archwilio'r claf. Toc, daeth y meddyg allan, ar ei ben ei hun, a golwg ddifrifol iawn ar ei wyneb. Ofnwn y gwaethaf. Gofynnodd a oedd D.H. wedi bod mewn cysylltiad â phlant yn ystod yr wythnosau blaenorol. Do, miloedd, meddwn innau. Edrychodd yn fwy pryderus. 'Mae gan eich ffrind ddos ysgafn o "scarlet fever" medda fo. "Scarletina". Ewch â fo adre'n syth.'

A dyna fu. Rhuthro i'r Garnant cyn mynd ymlaen i Gaerfyrddin. Grey (Evans) a gymerodd ran D.H. heb gael ymarfer o gwbl, a gwnaeth yn wyrthiol. Daeth D.H. yn ôl ynghynt nag y dylai a gorffennwyd taith hirfaith (dros saith deg o berfformiadau) gyda chast cyflawn.

A ninnau'n teithio cymaint, yn aml mewn tywydd drwg, newid gwely bob nos a bwyta pan fedrem, mae'n rhyfeddod na fu mwy o amgylchiadau tebyg. Yn ystod 'Dawn Dweud' aeth tri o bobl yn sâl mewn un perfformiad a gadawodd dau arall y llwyfan i weld beth oedd yn bod! Teimlai Dafydd Iwan, Jim Parc Nest, Meinir Lloyd a minnau yn unig iawn ar adegau y noson honno!

Daw dau o 'Wŷr Mawr Môn' i'r cof. Y ddau wedi'n gadael erbyn hyn — W. H. Roberts a Glyn Williams, Glyn Pensarn.

Mae llyfr W.H. yn y gyfres hon, *Aroglau Gwair*, yn drysor ac yn siarad cyfrolau am y gŵr hynaws o Niwbwrch. Y llefarwr gorau ohonynt i gyd ac un o'r bobl hynny yr oedd yn fraint cael ei 'nabod.

Cofiaf un noson arbennig yng Ngwesty'r Grand,

Abertawe. Doedd rhai o'r actorion ifanc erioed wedi clywed W.H. yn llefaru heblaw mewn drama ac felly gofynnais iddo a fuasai'n fodlon rhoi rhyw awr o draddodi inni fel criw. Yr oedd yn amharod ar y dechrau ond yn y diwedd fe gydsyniodd. Cawsom ein cyfareddu. 'Madog', 'Ymadawiad Arthur', sonedau lu, gwaith y Bardd Cocos, caneuon gwerin, 'Khubla Khan', 'The Ancient Mariner' — y cyfan yn llithro'n gyfoethog oddi ar ei gof. Dywedodd wedyn fod rhai o'r cerddi heb gael eu dweud ers chwarter canrif a mwy. Ond yno o hyd. Dyn mawr, W. H. Roberts.

Glyn Pensarn wedyn yn dalp o werin Môn. Ffermwr wrth ei alwedigaeth ond gyda deallusrwydd a thalent gwbl naturiol ar lwyfan. A ffraethineb a dawn dweud. Dwylo fel dail riwbob a thipyn o fôn braich i ddyn mor eiddil yr olwg. Yr oedd ganddo ffortiwn o wyneb ar gyfer llwyfan a sgrîn ac roedd ei farw'n ddyn cymharol ifanc yn golled fawr inni. Cefais oriau o fwynhad yng nghwmni Glyn.

Un arall o Fôn y dois i'w hadnabod yn ystod y cyfnod hwn oedd Elen Roger Jones. Mae rhyw 'aura' o gwmpas Mrs Jones, y 'presenoldeb' anniffiniol hwnnw. Yr oedd o gan ei brawd, Hugh Griffith, hefyd. Dynes fonheddig, ddoeth a diwylliedig. Mae gan Maureen a minnau feddwl y byd ohoni a pharch mawr tuag ati.

Tair blynedd o deithio i fyw. Ond daeth amser gadael. Mae dau reswm da dros gofio'r gadael. Un oedd y parti ffarwel cofiadwy iawn yn 'Y Llew Coch' yn Ninas Mawddwy, a'r llall oedd y ffaith i mi ddiwrnod ynghynt deithio dros nos i Lundain i gyfweliad am ran mewn cyfres o'r enw 'The Regiment' a theithio'n ôl yn syth wedyn i berfformio yn Nolgellau. Ar ôl cael cyfweliad llwyddiannus dyma'r cyfarwyddwr, Simon Langton, yn dweud fel yr awn trwy'r drws, *'See you in Nicosia'*. Cerddais ryw gam neu ddau ar hyd y coridor cyn stopio a dweud, yn uchel dwi'n siŵr, 'Nico . . . lle?' Es yn fy ôl a gofyn a oeddwn i wedi deall yn iawn. O, oeddwn. Byddai pythefnos o ffilmio imi ar Ynys Cyprus pan ddôi'r amser!

Yr oeddwn wedi cael cynnig rhan 'Rowland Ellis' yn yr addasiad teledu o nofel Marion Eames, *Y Stafell Ddirgel* ac roedd Maureen hefyd wedi cael cynnig rhan flaenllaw ond yr oedd Robin i'w fagu a hithau'n disgwyl Rhys, ein hail blentyn, a bu'n rhaid iddi wrthod. Digwyddodd hynny sawl gwaith yn ystod ei gyrfa, a theimla fwy o golli cyfle ar lwyfan na'r teledu am mai'r llwyfan a'r theatr yw ei chariad cyntaf.

Stori am y Crynwyr yn ardal Dolgellau yw *Y Stafell Ddirgel* a mwynheais y profiad o gymryd rhan Rowland Ellis, y gŵr o fferm 'Brynmawr' a roddodd ei henw i goleg Brynmawr yn yr Unol Daleithiau.

Un o'm cyd-actorion oedd Frank Lincoln, sydd, ysywaeth, wedi ffeirio actio am swydd ar drydydd llawr y BBC! Yr oedd colli Frank o'n mysg yn golled i'r proffesiwn a'r diwydiant yng Nghymru. Y fo, wrth gwrs, oedd Harri Vaughan yn y cynhyrchiad cyntaf o *Lleifior*, Islwyn Ffowc Elis, pan oedd Maureen yn gwneud rhan 'Marged' a Robin ni, yn ddwyflwydd a hanner, fel 'Huw Powys'. Cerddoriaeth oedd hoff faes Frank ac mae ei wybodaeth o'r maes hwnnw'n rhyfeddol. Hogyn hynod o hoffus a charedig ac yn gwmni diddan. A thystio oddi wrth y cyfnod y bu Maureen a Robin a minnau'n aros gydag o ac Alan Cook yng Nghaerdydd, un da am groeso hefyd.

Tra oeddem yn ymarfer gofynnodd Frank a minnau a gaem fynychu cyfarfodydd y Crynwyr yng Nghaerdydd. Yr oedd y cyfarfodydd bron y drws nesaf i'n 'stafell ymarfer yn Charles Street. Gwyddem ar ôl eistedd drwy'r cyfarfod cyntaf fod tipyn o waith actio o'n blaenau i fedru cyfleu'r 'tawelwch mewnol' y sonia Marion amdano ac a deimlwyd gan y ddau ohonom.

Yr oedd yn gwbl amlwg i ni nad oeddem erioed wedi cael profiad tebyg mewn unrhyw 'oedfa' o'r blaen. Yr oedd y tawelwch hir, hir ynddo'i hun yn wahanol. Cawsom groeso mawr ill dau ac atebwyd pob un o'n cwestiynau gyda graslonrwydd a chwrteisi. Cawsom ddadl ffyrnig gyda Dic Hughes ar ôl mynd yn ôl i'r ymarferion. Bedyddiwr rhonc oedd Dic.

Yr hyn a'm trawodd o weithio yn y BBC yng Nghaerdydd am y tro cyntaf dros gyfnod hir oedd Seisnigrwydd y sefydliad. Yn y theatr yr oeddwn wedi arfer siarad Cymraeg gyda bron pawb o'm cydweithwyr. Ambell oleuwr yn unig oedd yn ddi-Gymraeg ond yn sydyn dyma ddisgyn i fôr o Saesneg.

Yr hyn a'i gwnâi'n waeth byth oedd clywed cynifer o Gymry Cymraeg yn siarad Saesneg â'i gilydd. Nid pob un wrth reswm ond nifer fawr ohonynt. Un o'r 'regions' yw Cymru wedi'r cwbl ac iaith swyddogol y BBC, y 'BRITISH Broadcasting Corporation', ydi Saesneg. Dwi'n bwriadol ddefnyddio'r presennol oherwydd, hyd y gwela i, 'region' ydan ni o hyd.

Byddwn yn chwerthin yn aml wrth glywed Cymry Cymraeg yn cyfeirio at rywun o'r enw HPW ac AHPW.

Sôn am 'Head of Programmes, Wales' ac 'Assistant Head of Programmes, Wales' yr oedden nhe. Dyna'r llythrennau ar dop y 'memos' mae'n debyg.

Yr oedd bron pob un o'r technegwyr yn ddi-Gymraeg. Bu rhai yno am flynyddoedd lawer ac ymddeol ar bensiwn hael iawn heb wybod dim mwy o Gymraeg ar ddiwrnod eu pensiwn nag a wyddent ar eu diwrnod cyntaf. Mae hynny yn fy nghorddi o hyd, ynghyd â'n gwaseidd-dra ni fel cenedl yn goddef sefyllfa felly.

Efallai y bydd un stori yn dangos hyn yn glir. Cefais ran mewn drama gan Alun Owen. Fe wnaed dwy fersiwn ohoni: yr un wreiddiol yn Saesneg a chyfieithiad Cymraeg gan John Gwil. Teledwyd y fersiwn Gymraeg ar nos Fawrth a'r un Saesneg ar nos Fercher. Yr oeddwn yn y BBC ar y dydd Mercher ac ni soniodd neb air am y perfformiad Cymraeg y noson cynt ond ar y dydd Iau roedd nifer fawr yn canmol fy mherfformiad Saesneg. Un o'r rheiny oedd Evelyn Williams a ddaeth ata i a dweud, *'I thought you were wonderful last night. Will you do a "Cadi Ha" for me?'* A dyna'n union sut y cefais y cyfle i ddarllen stori Gymraeg i blant.

Fel yr athrawon a'm dysgai yn yr ysgol yr oedd iaith Y Sefydliad ym mêr eu hesgyrn. Byddai rhai o'r actorion hynaf hefyd yn siarad Saesneg â'i gilydd ac yn gwneud hynny wrth ymarfer drama Gymraeg ac, yn aml, yn cael eu cyfarwyddo yn Saesneg gan Gymry Cymraeg. Actorion nad oedden nhw 'rioed wedi gweithio i neb arall ond y BBC oedd y rhan fwyaf o'r rheiny. Yr oedd, wrth gwrs, un eithriad gwiw yn eu mysg — Charles Williams.

Er iddo fy nychryn yn arw y tro cyntaf y gweithiais hefo fo trwy ofyn yn awgrymog ar ôl fy nghlywed yn darllen y sgript, 'Fel'na wyt ti am 'i 'neud o, ia?' buan iawn y dois i barchu dawn aruthrol Charles. Y cynildeb, yr amseru di-feth, a'r ddawn ddihafal i ddweud stori. Cefais y fraint o weithio hefo fo ddegau o weithiau wedyn a rhyfeddu at y ddawn honno.

Cawsom ein dau ein castio fel tad a mab yn y gyfres radio chwedlonol honno 'The Archers'. Cadw garej yn Ambridge yr oedd Haydn a Gwyn Evans, a bu'r ddau ohonom yn teithio hefo'n gilydd am wythnosau lawer i Birmingham i recordio. Y tro cyntaf un sy'n ddadlennol. Ar y ffordd, a minnau'n dreifio, dyma Charles yn dweud y dylem stopio am baned. Er i mi awgrymu y byddai'n well cyrraedd a chael paned wedyn yr oedd yn bendant y dylem stopio a chael golwg ar y sgript. A dyna fu.

Yr oedd Charles am i'r ddwy olygfa gyntaf rhyngom fynd yn berffaith y tro cyntaf er mwyn i'r 'Saeson gael gweld ein bod ni'n 'i medru hi cystal â nhwtha'. Derbyniwyd y ddau gynnig cyntaf gan y cynhyrchydd, a Charles yn dweud wrth weld wyneb hwnnw drwy'r gwydr, 'Yli, yli gwenu mae o. Chawn ni ddim traffarth hefo hwn o hyn allan.' Gwir y gair.

Mae rhai o'r actorion a oedd yn yr 'Archers' pan oedd y garej mewn bod — bum mlynedd ar hugain yn ôl bellach — yn dal yno o hyd.

I ddangos grym y gyfres, a grym y cyfrwng, mae'n werth sôn am yr effaith a gafodd un stori yn ystod y cyfnod y bu Charles a minnau yno. Mewn un bennod soniwyd fod cloch eglwys Ambridge wedi cracio ac y dylid cael cloch newydd. Aed ati i drefnu boreau coffi a garddwest ac yn y blaen i godi'r arian angenrheidiol i gael cloch newydd. Ymhen ychydig ddyddiau ar ôl darlledu'r bennod yr oedd sieciau ac arian parod gan wrandawyr wedi eu hanfon i 'Dan Archer, Brookfield Farm, Ambridge'. Hyn i gyd i dalu am gloch nad oedd ddim yn bod mewn eglwys nad oedd ddim yn bod mewn pentref nad oedd ddim y bod. Pwy ddywed rŵan nad oedd angen Sianel ar Gymru?

Ar ôl gadael Cwmni Theatr Cymru yr oedd yn amlwg bellach mai yng Nghaerdydd y byddwn yn ennill fy mara beunyddiol. Yr oedd HTV wedi cychwyn ac roedd gobaith am waith yno hefyd. Symudodd y teulu bag a bagej i'r brifddinas.

Teulu Mewn Ogof a Dau Mewn Tŷ

Yng ngeiriau Gwenlyn, yr oeddwn i wedi ennill fy mywoliaeth am ddwy flynedd yn 'stwffio fy llaw i fyny twll din ci!'

Cyfeirio yr oedd Mr Parry at y cyfnod a dreuliais ar y rhaglen gwlt honno i blant, 'Miri Mawr', fel llais (a llaw) y pyped 'Llewelyn'. Rhwng 1973 a 1976 fe weithiais bron yn gyfan gwbl i HTV. Pan fûm yn ddiweddar yng nghanolfan newydd HTV yng Nghroes Cwrlwys daeth hiraeth mawr am ddyddiau'r cwmni bach ym Mhontcanna, cyfnod pryd y deuthum i 'nabod pawb oedd yn gweithio yno. Pan eisteddais am baned yn y 'stafell fwyta yng Nghroes Cwrlwys roedd 72 yno ar yr un pryd â mi, a minnau'n 'nabod 'run ohonynt.

Yr un oedd y sefyllfa ym Mhontcanna ag yn y BBC gyda'r technegwyr di-Gymraeg ond nid Saesneg a siaradai'r mwyafrif o'r Cymry â'i gilydd yno. Yr oedd rhai eithriadau, wrth gwrs, ond prin iawn oedd y rheiny.

Cyfnod hapus tu hwnt oedd cyfnod 'Miri Mawr'. Byddai tair rhaglen bob wythnos. Cyfarfod ddydd Mercher i ymarfer, a recordio rhaglen a hanner ddydd Iau a rhaglen a hanner ddydd Gwener. Robin Griffith fel 'Blodyn Tatws', Dafydd Hywel fel 'Caleb', John Pierce Jones fel 'Dan Dŵr, a Dewi Pws fel 'Y Dyn Creu'. Dyna ichi beth ydi bwndel o wariars!

John Pierce Jones, John Bŵts, yr actor talaf yng Nghymru. Hogyn mawr, John. Fel y dywedodd Wil Sam rhyw dro pan gynigiodd John fynd yno i helpu hefo paentio'r tŷ, 'Ia, tyrd draw, mi ddoi'n handi at y landeri.' Storïwr heb fod yn straegar ydi J.P. Pan ddaw acw byddwn yn clirio'r soffa iddo fo gael lle i ddweud ei straeon.

Un o gryfderau John — sy'n dweud llawer amdano fel person — ydi'r gallu sydd ganddo i drin plant. Mae plant yn cymryd ato'n syth. Pan oedd Robin a Rhys yn fychan, y munud y dôi John trwy'r drws byddai breichiau'r ddau yn estyn ato, a Robin yn dweud, 'To, Yncl John,' er mwyn cael ei godi i gyffwrdd to'r 'stafell. Fedrai ei dad ddim gwneud hynny!

Mae'n anodd gwybod sut i ddisgrifio Dewi Pws. Does neb wedi gwneud i mi chwerthin gymaint ac mor aml â Pws. Hogyn annwyl tu hwnt, gyda meddwl fel rasel ond rasel nad yw'n tynnu gwaed, dim ond tynnu chwerthin. Mae felly o hyd ac yn gwmni nad oes mo'i well wrth gael gêm o golff. Os medrwch ganolbwyntio ar y golff, wrth gwrs.

Mae'r straeon am y digwyddiadau yn ystod blynyddoedd 'Miri Mawr' yn lleng.

Y diwrnod y daeth Lady Plowden i HTV er mwyn cwblhau ei hadroddiad ar y diwydiant a gweld pethau rhyfedd iawn yn cael eu gwneud mewn rhaglen blant. Y cynhyrchydd, Peter Elias Jones, yn chwysu chwartiau yn y bocs pan oedd Dewi Pws yn dawnsio o gwmpas y stiwdio hefo 'blow-up doll' noeth yn sownd wrth ei esgidiau!

Y diwrnod y daeth Yr Arglwydd (Syr yn unig oedd o ar y pryd) Willie Whitelaw i'r stiwdio a chael ei dywys gennym i stiwdio 'Miri Mawr' yn hytrach na'r stiwdio newyddion!

Y diwrnod y rhoddodd y diweddar Henry Chambers Jones, y rheolwr llawr, 'cue' i'r pypedau yn lle'r actorion ac, yn naturiol, doedd dim byd yn digwydd er mawr ofid i'r cyfarwyddwr.

Y diwrnod y gofynnodd Robin Griffith, trwy geg 'Blodyn Tatws', i un actor braidd yn sigledig ei Gymraeg, 'Be' sy gynnoch chi yn y bag 'na, cyw? Treiglada?'

Y diwrnod y darganfuwyd bod y rhaglen funud yn fyr a Robin a minnau'n cynnal deialog awgrymog ofnadwy wrth gloi. Doedd ryfedd yn y byd fod myfyrwyr Aberystwyth ar y pryd yn rhuthro i'r 'stafell deledu i weld y rhaglen.

Y diwrnod y cafodd un o'r gwesteion gwstard poeth yn lle cwstard oer am ei ben ar ôl i geidwad y props gamddarllen y cyfarwyddiadau!

Y diwrnodiau aml hynny pan nad oedd D.H. wedi dysgu'i linellau a Robin a minnau yn ei 'bromptio' o'r bocsys. 'Caleb, pam na ddeudi di . . .' oedd y llinell agoriadol fel arfer. A Chaleb wedyn, yn ei ffordd ddihafal ei hun yn dweud, 'Ohhh, thenciw, Blod. Thenciw, Llew.' Daeth 'Clwmp Pump', 'Shamroc', 'Grasusa', 'Cyw', 'Llewelyn Fawr, Mawr fel Cawr', yn eiriau cyfarwydd ar iardiau ysgolion ledled Cymru a châi'r cymeriadau wahoddiad i agor ffeiriau mewn ambell le.

Yn ogystal â 'Miri Mawr' bu amryw byd o raglenni eraill ac yn eu plith gyfres o ddramâu yn dwyn y teitl 'Y Gwrthwynebwyr'. Wyth drama am wyth cymeriad a oedd, ar ryw adeg neu'i gilydd, wedi herio'r drefn, sef Emrys ap Iwan, John Penry, Brecht, Pearse a Connolly, Trotsci,

Lorca, John Jones Maesygarnedd a Dietrich Bonhoeffer. Trwodd a thro, dwi'n meddwl i'r gyfres, dan gyfarwyddyd Huw Davies, a sgriptiau Emyr Humphreys, fod yn bur lwyddiannus. Casglwyd cwmni fel cwmni 'rep' at ei gilydd i wneud y dramâu. Rhan flaenllaw mewn un ac wedyn rhan gynorthwyol mewn un arall.

Yn sicr, roedd y gyfres yn torri tir newydd a dylasai HTV fod wedi mynd ymlaen i wneud llawer mwy o ddramâu yn ei sgil. Ond tybed a oedd gwasgu o du hwnt i Bont Hafren ar y penaethiaid yng Nghaerdydd i beidio â gwario cymaint o'u helw ar rywbeth mor ddrud â drama? Synnwn i damaid nad dyna'r rheswm.

Fodd bynnag, fe wnaed cyfres Saesneg i'r rhwydwaith, sef 'The Inheritors', creadigaeth Wilfred Greatorex, crëwr 'The Power Game', un o gyfresi mwyaf poblogaidd y chwedegau. Daeth Clifford Evans, un o sêr y gyfres honno, i mewn fel uwch-gynhyrchydd. Cafodd Meredith Edwards a minnau rannau fel tad a mab gyda Robert Urquhart a Peter Egan yn y ddwy brif ran.

Byddwn wrth fy modd yn cael hanesion hen ddyddiau ffilmiau Ealing gan Merêd. Hanes gwneud 'The Blue Lamp', 'The Cruel Sea' ac ati. Ond yr oedd yn hynod ddistaw un diwrnod pan fu'n rhaid iddo deithio mewn car hefo mi mewn golygfa lle'r oeddwn yn gorfod gyrru fel cath i gythra'l!

Er i'r gyfres gael derbyniad da iawn gan feirniaid a gwylwyr ac er i'r cwmni addo hynny ni wnaed cyfres arall. Unwaith eto, credaf mai arian oedd wrth wraidd y penderfyniad. Yr oedd HTV yn gwmni masnachol wrth gwrs ac yr oedd gwneud elw i'r cyfranddalwyr yn hynod o bwysig.

Un o'r pethau a fwynheais fwyaf oedd cael gwneud eitemau ar ffilm ar gyfer y rhaglen chwaraeon 'Sports Arena'. Wrth wneud hynny cefais gyfle i ddod i 'nabod rhai fel Barry John, Tom Pryce y gyrrwr ceir rasio, Terry Yorath, a chyfarfod Bill Shankly.

Un diwrnod daeth Robin y mab, a oedd yn chwech oed ar y pryd, hefo mi i'r stiwdio ac aeth Barry John â fo i gicio pêl rygbi ar gaeau Pontcanna. Mae Robin yn dal i gofio'r diwrnod mawr hwnnw.

A drama 'fawr' oedd 'Alpha Beta' gan Ted Whitehead. Drama dair act gignoeth o ddechrau'r saithdegau am ddirywiad priodas. Dim ond dau gymeriad — y gŵr a'r wraig, Mr a Mrs Elliott. Ar ôl i Maureen a minnau ei darllen dyma sylweddoli'n syth fod yma ddrama a oedd yn werth ei chyfieithu. Ar y pryd doedd dim byd tebyg yn y Gymraeg.

Yr oedd Wilbert yn chwilio am gynhyrchiad newydd o ddrama fodern ac awgrymais innau 'Alpha Beta'. Ymhen ychydig fe'i ffoniais i weld beth oedd ei farn. 'Drama gre', John. Drama gre' iawn, John.' (Yr oedd un neu ddau o eiriau pedair-llythyren ynddi!) Minnau wedyn yn rhestru ei rhagoriaethau. Saib arall. 'Ia, awn ni 'mlaen hefo hi.'

Does arna i ddim ofn dweud i 'Alpha Beta' fod yn rhywfaint o drobwynt yn hanes y Theatr yng Nghymru. Bu'n llwyddiant ar daith ac fe ddangosodd nad oedd yr un pwnc na ellid ei drafod mewn drama yn yr iaith Gymraeg a thystiodd nifer o ddramodwyr, Gwenlyn, Michael Povey a William R. Lewis yn eu plith, iddynt elwa o weld hynny.

Cofiaf yn dda y noson agoriadol yn y Theatr Fach yn

Y Rhyl. Yr oeddem yn poeni beth fyddai adwaith y gynulleidfa. Tybed a fyddai pobl yn cerdded allan? Maureen yn dweud hynny wrth Glyn Richards (Glyn Saer, adeiladydd y set) a Glyn yn dweud, 'Unwaith y byddan nhw i mewn mi fydda i'n hoelio'r drysa.'

Yr oedd y theatr yn llawn. Yn eistedd yno gyda'i gilydd yr oedd Kate Roberts, Gwilym R. Jones a Mathonwy Hughes. Chafwyd dim ymateb clywadwy i'r geiriau pedair-llythyren . . . wel, i'r ferf weithredol o'r gair. Maureen oedd yn ei ddweud a chyfleai'r ferf atgasedd y wraig at anffyddlondeb ei gŵr. (Pan ddarlledwyd y cyfieithiad ar y radio ymhen sbel ni dderbyniwyd yr un gŵyn o du'r gwrandawyr).

Wedi'r perfformiad daeth nodyn i gefn y llwyfan oddi wrth Kate Roberts yn diolch yn fawr iawn am y perfformiad ac yn gofyn a fyddwn mor garedig â newid *un gair* yn fy nghyfieithiad. A wnawn i roi 'telerau' yn lle 'termau'?

Dywedodd Gwilym R. Jones a Mathonwy wrthyf wedyn eu bod wedi 'eu sodro yn eu seti' ar ddiwedd y ddrama ac i Gwilym R. droi at Dr Kate a gofyn, 'Wel, Kate, be' oeddach chi'n feddwl o hon'na?' Hithau'n dweud yn dawel a gwên ar ei hwyneb, 'Yn ieithwedd y ddrama, Gwilym, ffycin grêt'!

Perfformiwyd 'Alpha Beta' yn yr 'Arena' yn Theatr y Sherman. Theatr fechan yw honno a'r gynulleidfa bron yn ymuno hefo chi ar y llwyfan. Yn naturiol, yr oeddem yn cynilo'r perfformiadau mewn lle mor fychan a chofiaf fod yr awyrgylch yn drydanol. Bron na fedrech gyffwrdd cydymdeimlad y gynulleidfa wrth bendilio rhwng y naill gymeriad a'r llall. Dywedodd sawl un wedyn iddynt gael teimlad annifyr iawn wrth eistedd yno o sylweddoli pa mor real berthnasol oedd y cyfan. Bod yn bry ar wal yn nhŷ a bywyd preifat rhywun arall oedden nhw ond bod yr hyn a ddigwyddai yn y tŷ hwnnw yn anghyfforddus o debyg i'r hyn a ddigwyddai mewn llawer iawn o dai.

Cafodd 'Alpha Beta' un fraint arall, sef bod y ddrama gyntaf i'w pherfformio yn Theatr Gwynedd. Yr oedd cyngerdd a phantomeim wedi bod yno ond hon oedd y ddrama gyntaf. Yr oedd Lyn T. Jones (a fu wedyn yn Bennaeth Radio Cymru) yn Rheolwr ac er ein bod wedi cwblhau'r daith ers tipyn yr oedd yn awyddus i ni ei pherfformio eto ym Mangor. Ers hynny daeth Theatr Gwynedd yn rhan annatod o yrfa Maureen a minnau ac mae'n golygu llawer iawn i ni'n dau.

Yn ystod ymarferion 'Alpha Beta' hefyd y digwyddodd un o'r pethau hynny sy'n aros yng nghof rhywun am byth. Yn ystod ein blynyddoedd yng Nghaerdydd rhentu tŷ yn Longspears Avenue, Gabalfa yr oedd Maureen a minnau a'r hogia. Er i ni ofyn i'r banciau a'r Cymdeithasau Adeiladu am forgais doedd neb yn fodlon rhoi benthyg arian i rai mewn swydd mor ansicr. Yr oeddwn yn ennill yn gyson ond doedd hynny'n cyfri' dim. Aeth miloedd o'n harian i lawr y draen yn y blynyddoedd hynny. Teimlwn yn eiddigeddus iawn wrth y rhai a'm cyflogai o wythnos i wythnos: roeddynt yn byw yn eu tai eu hunain oherwydd eu bod yn rheolaidd gyflogedig.

Ychydig oriau ar ôl i ni symud i'r tŷ yn Longspears daeth y dyn drws nesaf heibio i'n croesawu ni i'r stryd. Dyn yn ei saithdegau cynnar, gwas sifil wedi ymddeol, oedd Mr Lawrence ac yn briod â Maude, y hi rhyw ddeng mlynedd yn hŷn nag o. Yr oeddynt yn gwpwl annwyl a charedig dros ben. Yn ôl y traddodiad yng Nghaerdydd, yr oedd gan Mr Lawrence ei 'allotment' ac fe âi yno ryw ben bob dydd. Gan ei fod yn cynhyrchu llawer mwy o lysiau na'i angen ei hun dôi â'r gweddill acw. Âi i'r drafferth o ferwi'r betys cyn eu rhoi inni!

Pan sylweddolodd fod gennym deledu lliw gofynnodd a gâi o a Maude ddod draw un diwrnod i weld y 'Trooping of the Colour'. Doedd y seremoni honno ddim yn 'must viewing' yn tŷ ni ond dyma wahodd y ddau draw i'w weld. Pan chwaraewyd 'God Save The Queen' yn ystod y telediad safodd y ddau ar eu traed!

Yn ystod ymarferion 'Alpha Beta' fe drawyd Maude yn wael a daeth Mr Lawrence acw ar y bore Sul wedi iddi gael ei chipio i'r ysbyty a gofyn a gâi air preifat. Yr oedd y meddyg wedi dweud wrtho nad oedd fawr o obaith i Maude wella ac mai rhyw ddeuddydd yn unig oedd yn weddill iddi. Dywedodd yn dawel na allai feddwl am fywyd heb Maude a thybed a oedd modd i ni aros i fyw drws nesaf yn hytrach na symud i rentu tŷ yn Ninas Powys fel y bwriadem. Teimlai ein bod ni a'r plant fel teulu iddo bellach. Dywedais nad oedd modd i ni wneud hynny ond y byddem yn cadw mewn cysylltiad ac y câi ddod acw mor aml ag y dymunai. Yr oedd ganddo fab yn gweithio i'r awyrlu yn Sain Tathan ond rhyw greadur oeraidd ar y naw oedd hwnnw.

Ar y nos Lun aeth Maureen a minnau ato am baned. Yn union fel y dywedodd y meddyg, roedd cyflwr Maude wedi gwaethygu'n arw ac roedd dagrau yn llygaid yr hen ŵr wrth ddweud ei atgofion amdani. Bore drannoeth, yn y 'stafell ymarfer, cawsom alwad gan Tom, fy nhad yng nghyfraith, yn gofyn a fuasem yn dod adref yn syth. Yr oedd Tom wedi symud i Gaerdydd ers tipyn ac yn byw mewn fflat wrth ein hymyl. Y fo oedd yn gwarchod y plant. Dywedodd na fedrai neb gael ateb na mynediad i'r tŷ drws nesaf.

Yr oedd gan Mr a Mrs Evans dros y ffordd i ni, Cymry Cymraeg, allwedd i'r tŷ ond yr oedd yn amlwg bod y drws wedi'i folltio o'r tu mewn. Penderfynwyd mai'r peth doethaf oedd galw'r heddlu a daeth plismon ifanc o'r diwedd. Rhoddodd y ddau ohonom ysgwydd i'r drws cefn a mynd i mewn. Tra oedd y plisman yn chwilio'r 'stafelloedd ar y llawr es innau i fyny i'r llofft. Yr oedd Mr Lawrence yn gorwedd yn farw yn ei wely. Yn gorwedd yno â'i ddwylo ymhleth.

Bu Mrs Lawrence farw yn ystod y nos hefyd a chladdwyd y ddau yr un diwrnod. Dywedodd ei feddyg ei fod wedi clywed am rai'n marw o dorcalon ond nad oedd erioed wedi cael profiad o hynny o'r blaen. Yr oedd Mr Lawrence yn ddyn iach iawn ac nid oedd unrhyw reswm meddygol am ei farwolaeth. *'A self-induced heart attack'*, meddai'r meddyg.

Yr oedd awydd mawr arnom i symud yn ôl i'r Gogledd a phan ddaeth gwahoddiad gan Meirion Edwards i ymgeisio am swydd fel darlithydd drama ymarferol yn y Brifysgol ym Mangor neidiais am y cyfle. Aethom yn ôl i'r Gogledd ac er fy mod yn ennill llai o dipyn bach fel darlithydd nag fel actor yr oedd gallu rhoi 'University Lecturer' ar ffurflen gais am forgais yn ddigon i'w sicrhau. Cawsom dŷ ym Mhenrhosgarnedd ac er ein bod wedi symud ddwywaith ers hynny ym Mhenrhos yr ydym byth.

Ychydig cyn i ni symud bu farw fy nhad. Yr oedd effaith y llwch, *pneumoconiosis*, wedi bod yn ei boeni fwyfwy ers rhai blynyddoedd ond cafodd ei daro'n bur wael ar y ffordd i dŷ Tom yn Uttoxeter.

Ar ôl dod o'r ysbyty aeth i gartref henoed o fath ger Wrecsam. Hen le digroeso iawn oedd hwnnw ac roedd Maureen a minnau ar ddod ag o atom i Gaerdydd pan waethygodd ei gyflwr yn fawr. Dywedodd wrthyf rai oriau cyn ei farw ei fod wedi colli'r ewyllys i fyw. Teithiais yn ôl i Gaerdydd y noson honno a chael galwad ffôn ychydig ar ôl i mi gyrraedd i ddweud y newydd drwg. Roedd pob symudiad yn artaith iddo yn y diwedd a thrugaredd oedd iddo gael mynd.

Rhoddodd ein mab Robin y cyfan mewn brawddeg. Gwyddai fod 'Nhad yn wael a derbyniodd y newydd drwg yn ddeallus iawn, fel y gwna plant. Clywodd fi ar y ffôn hefo fy chwaer yng nghyfraith a chlywed y gair 'funeral'. Trodd at Maureen a dweud, 'Cynhebrwng ydi "funeral", te.' 'Ia,' meddai Maureen. 'O,' meddai Robin. 'Dydi hynny'n ddim byd, sti, dim ond rhoi Taid mewn bocs a'i blannu fo.'

Yn ôl i Fangor

O dan aden yr Adran Saesneg yr oedd yr Adran Ddrama yng nghanol y saithdegau ac efallai mai dyna un rheswm pam na fwynheais yr un funud o'm dwy flynedd yn ôl yn y coleg. Y prif reswm wrth gwrs oedd fy mod yn colli perfformio yn o arw. Yr oeddwn eisoes wedi cytundebu i wneud dau gynhyrchiad cyn cael y swydd a chefais ganiatâd y coleg i'w cwblhau.

Erbyn diwedd yr ail flwyddyn, wel, ymhell cyn hynny a dweud y gwir, yr oeddwn yn casáu mynd i mewn i'r lle. Er bod y myfyrwyr yn rhai gweithgar a derbyniol iawn, a gwên Mrs Reed, ysgrifenyddes yr Adran, yn groesawgar bob bore, fûm i 'rioed mor anhapus mewn swydd. Yr unig dro y daeth pethau'n fyw oedd cynhyrchu drama Wil Lewis, 'Geraint Llewelyn'. Doeddwn i ddim wedi bwriadu cymryd rhan ynddi fy hun ond ar gais Wil a'r myfyrwyr fe wnes hynny yn y diwedd. O'r funud y rhois fy nhroed ar lwyfan Theatr Gwynedd ar y noson gyntaf gwyddwn y byddai'n rhaid imi ddychwelyd i'm priod waith.

Treuliwn lawer o'm hamser mewn 'stafell dlodaidd ei gwedd ym Mhenrallt a byddwn weithiau yn rhoi nodyn ar ddrws y 'stafell ddrama i ddweud nad oeddwn ar gael y diwrnod hwnnw er fy mod o fewn tafliad carreg i'r lle.

Cefais sawl dadl ynglŷn â safle'r Gymraeg yn yr Adran gyda'r pennaeth, Ron Strang, a dywedodd Yr Athro

Saesneg, Alun Jones, wrthyf ar ôl un ddadl am beidio â gadael i'm calon reoli fy mhen. Cynigiodd Annes Gruffydd, fy nghyd-ddarlithydd, a minnau gyfieithu'r darlithoedd Saesneg a'u traddodi yn Gymraeg ond gwrthodwyd ein cais.

Yr oedd yn gyfnod cythryblus ym mrwydr Statws yr Iaith yn y coleg bryd hynny ac roedd chwerwedd mawr ymysg y myfyrwyr Cymraeg. Bu llawer o brotestiadau a streiciau ac aeth cyd-Gymry'n benben â'i gilydd. Pan fo annhegwch y mae'n anodd iawn gweld rheswm.

Haf poeth '76 oedd hi arnom yn symud i'r Gogledd. Yr oeddwn eisoes wedi cael rhan 'Twm Siôn Cati' mewn cyfres Saesneg o'r enw 'Hawkmoor' gan y BBC. Buom yn ffilmio trwy'r haf poeth hwnnw yn ogystal ag yn y glaw di-baid bron o ddiwedd Medi ymlaen.

Yr oedd yr oriau ffilmio yn hirfaith. Codi am chwarter i chwech a chynt bob bore a gorffen yn hwyr yn y nos. Ffilmio bron yn gyfan gwbl yn yr ardal rhwng Tregaron ac Aberhonddu. Bu'n rhaid ymarfer marchogaeth am beth amser cyn dechrau'r ffilmio ac ar ôl cyfnod byr o wneud hynny fe wyddwn fod asgwrn yn fy mhen ôl. George P. Owen oedd yn cyfarwyddo. Gŵr hoffus iawn ydi George ond, yn anffodus i mi ar y pryd, yr oedd hefyd yn farchogwr ceffyl da iawn, wedi hen arfer ar y fferm yn Sir Fôn. Felly doedd ganddo fawr ddim cydymdeimlad hefo marchog sâl o Sir Gaernarfon.

Ar ôl cael caseg ddigon tawel i ymarfer arni tipyn o sioc i'r system oedd camu ar gefn y palomino teirblwydd balch a ddewiswyd i fod yn bartner i Tomos Cati. Does dim fel ceffyl felly i'ch deffro am chwech o'r gloch y bore. Y tro cyntaf i mi fynd ar ei gefn fe benderfynodd fynd â fi am reid o ryw filltir heb i mi ei gymell i wneud y ffasiwn beth. A wnâi o ddim stopio chwaith nes oedd o'n laddar o chwys.

Daethom i ddeall ein gilydd o dipyn i beth ond gwyddai'r hen frawd o'r gorau nad i deulu Lester Piggott y ganed fi. Un bore eisteddwn ar ei gefn tra porai yntau'n dawel. Yr oeddwn wedi tynnu fy nhraed o'r gwartholion er mwyn cael pum munud ac wrthi'n rhoi trefn ar y bwa saeth ar fy nghefn pan benderfynodd rhyw gythra'l o Robin Gyrrwr bigo'r ceffyl yn ei fan gwan. Yr eiliad nesaf roeddwn i a'm bwa saeth yn hedfan drwy'r awyr, ben yn gyntaf. Daeth y pen hwnnw i gysylltiad â bonyn coeden a llifodd y gwaed o'r trwyn.

Wyddwn i ddim yn iawn pa flwyddyn oedd hi am sbel ond deuthum ataf fy hun yn ddigon buan i glywed y Rheolwr Llawr, Wyn Jones, yn gweiddi, *'Someone from make-up to block John's nose so that we can carry on, please.'* Petasai Jane Asher wedi cael codwm fe fuasen nhw wedi hedfan deg o ddoctoriaid Harley Street i wneud yn siŵr ei bod yn iawn.

Jane Asher oedd y ferch yn y pictiwr, fel 'tae, ac roedd ei gŵr, y cartwnydd Gerald Scarfe, a'i merch fach, Katie, hefo ni trwy gydol y ffilmio. Byddai Scarfe yn codi'n gynnar iawn bob bore dydd Iau ac yn gwneud ei gartŵn ar gyfer y papur Sul. Neidio i'r Lamborghini wedyn a danfon y cyfryw gartŵn i Gasnewydd at y trên a dyna hi am yr wythnos. Gwelais y gwreiddiol o'r un enwog a wnaeth i'r Gemau Olympaidd ym Montreal, ond er i mi ofyn yn garedig wnâi o mo'i roi imi.

Bu'r gyfres yn bur lwyddiannus a gwerthwyd hi i nifer fawr o wledydd tramor. Cafodd un llinell gofiadwy iawn ei dweud yn ein tŷ ni pan aeth y bennod gyntaf allan. Yr oedd Rhys erbyn hyn yn chwech oed ac yn eistedd ar fy nglin i wylio'r telediad. Bu'n syllu am rai munudau cyn troi ataf a gofyn, 'Dad, pryd gest ti drwsio dy geg i siarad Sysnaig?'

Y cynhyrchiad arall oedd 'Dau Werth Chwech' i'r theatr. Yr oedd Wilbert wedi derbyn syniad gan Maureen a minnau, sef bod y ddau ohonom yn perfformio chwe drama chwarter awr yr un mewn noson. Cawsom fwynhad mawr ar y daith ac wedi hynny gofynnodd Wilbert i mi ddod yn ôl at y Cwmni — y tro hwn i actio a chyfarwyddo. Cytundeb dwy flynedd oedd gen i yn y coleg. Neidiais am y cyfle.

Dringo'r Tŵr

Yn eironig iawn, Bron Castell, hen swyddfeydd y BBC ym Mangor, oedd pencadlys Cwmni Theatr Cymru erbyn hyn. Yr oeddwn yn falch iawn o fod yn ôl.

Yr oedd cyfle i wneud tipyn o waith radio — dramâu i Dafydd Huw Williams, darllen storïau, a sgriptiau i 'Pupur a Halen' — a thynnu coes y ddwy ysgrifenyddes, Mrs Howells a Carys 'Jên' (wel, Carys Edwen, a rhoi iddi ei henw iawn!) Byddai'n werth gwneud hynny petai dim ond i glywed y dyn cadw llyfrau, John Gwynedd (Pennaeth Cyllid Cwmni Adnoddau 'Barcud' bellach) yn chwerthin. Un o'r chwerthwrs mwyaf harti a greodd Duw. Y fo a Wil Llanbedr-goch.

Dechreuodd y cyfnod yn hapus iawn ond byddai'n diweddu'n hynod o ddiflas.

Daeth Eisteddfod Wrecsam, 1977, ac yn ystod yr wythnos gofynnodd Gwenlyn i Maureen a minnau fynd allan am ginio yn Theatr Clwyd. Yn ystod y cinio dywedodd ei fod wedi derbyn comisiwn i sgrifennu drama hir ar gyfer yr Eisteddfod yng Nghaerdydd y flwyddyn wedyn. Cofiai 'Dau Werth Chwech' ac 'Alpha Beta'. Yr oedd ganddo syniad am ddrama i ddau, Gŵr a Gwraig, ond yr oedd am wybod a fyddai gan y ddau ohonom ddiddordeb i bortreadu'r cymeriadau. Byddai wedyn yn gallu sgrifennu yn arbennig ar ein cyfer.

Cytunodd y ddau ohonom yn syth bin ond er holi mwy y cwbl a ddywedodd Gwenlyn oedd y byddai angen i ni actio ystod eang o flynyddoedd yn y ddrama — o ieuenctid i henaint.

Tua mis Mai, 1978, oedd hi pan orffennodd Gwenlyn ei sgrifennu. Yr oedd Maureen yng Nghaerdydd a minnau ym Mangor pan ddaeth y gwaith i'n dwylo. Fe wnaeth Gwenlyn hynny'n fwriadol er mwyn cael barn annibynnol gan y ddau ohonom. Teg dweud i ni'n dau weld y posibiliadau ynddi'n syth er i un neu ddau arall fod yn amheus iawn o werth y ddrama.

Mae Gwenlyn, yn anad un dramodydd arall, yn theatrig. Hynny ydi, yn y 'gweld' y mae mawredd ei ddramâu ac nid yn y darllen. O bosib' mai'r 'Tŵr' yw'r enghraifft orau o hynny.

David Lyn a gyfarwyddodd 'Y Tŵr'. Fuaswn i ddim yn dweud bod David a minnau wedi gweld lygad yn llygad ar bob achlysur ond mae gen i barch mawr iddo fel cyfarwyddwr. Maureen fwy fyth. Mae'r ddau'n cyd-dynnu'n dda, er eu bod yn dadlau llawer wrth weithio, ond mae'r hyn sy'n cael ei greu rhyngddynt yn llwyddo. Y fo a gyfarwyddodd Maureen yn 'Esther' hefyd, ac ymhen blynyddoedd, pan ddaeth hi'n amser dewis cyfarwyddwr ar gyfer yr addasiad teledu o nofel Kate Roberts, *Tywyll Heno*, David Lyn, er nad oedd erioed wedi cyfarwyddo i deledu, oedd y dyn oherwydd y rhesymau uchod.

Yn y deunaw mlynedd a aeth heibio ers perfformio 'Y Tŵr' yn Eisteddfod Caerdydd mae pobl yn dal i sôn amdani pan fyddwn yn ymweld â chymdeithasau ledled Cymru. Wrth ein cyflwyno bydd pob un Llywydd neu Gadeirydd yn ddiwahân yn cyfeirio at 'Y Tŵr' o flaen popeth arall.

Hoffai Gwenlyn bob amser fod yn bresennol yn ymarferion ei ddramâu. Bu hefo ni yn hen gapel y Tabernacl, Bangor, am yr wythnos gyntaf a rhan o'r ail. Nid oedd byth yn busnesa hefo David na ninnau ond cyfrannai'n adeiladol i bopeth. Byddai'n ailsgrifennu ambell linell wrth i ni ymarfer.

Yr oedd wedi dychwelyd i Gaerdydd pan ddechreuwyd mynd ati o ddifri hefo'r Ail Act. Teimlai'r tri ohonom fod angen mwy o sôn am y plentyn yn yr act honno a dyma ffonio Gwenlyn i ddweud hynny. Wnaeth o ddim anghytuno, dim ond mynd ati i sgrifennu'r ychydig dudalennau y gofynnem amdanynt.

Bore trannoeth cyrhaeddodd y geiriau newydd ym mhost mewnol y BBC. Ar ôl eu darllen credem mai dyna'r union beth oedd ei angen ar gychwyn yr Ail Act, ac aethom ati i'w hymarfer. Ond y gwir amdani oedd na fu angen y geiriau newydd o gwbl. Yr oedd greddf Gwenlyn yn iawn y tro cyntaf ac ni welodd y llinellau hynny olau dydd na llwyfan.

Llywiai David yr ymarferion yn ofalus iawn. Yr oedd yn weithiwr caled a chan mai dim ond dau ohonom oedd yn cymryd rhan nid oedd fawr o gyfle i gael hoe tra oedd eraill yn gweithio. Mae ganddo ryw ffordd frwdfrydig, heintus o gyfarwyddo. Nid un sy'n eistedd yn llonydd i wylio ydi o. Mae ar ei draed, yn annog, yn cymeradwyo, yn derbyn syniad, yn gwrthod syniad ac yn fywiog iawn drwy'r amser.

Mae'r noson gyntaf yng Nghaerdydd yn dal yn fyw iawn, iawn yn y cof. Rhyw hanner awr cyn dechrau daeth Gwenlyn i'r 'stafelloedd gwisgo (mae Maureen a minnau bob amser yn cael 'stafelloedd gwisgo ar wahân) i ddymuno'n dda inni. Yr oedd yr un mor nerfus â ninnau. Daeth yr alwad 'pum munud' ac yna yr un olaf yn ein galw i'r llwyfan. Dyma gael clywed bod dros fil o gynulleidfa. Wn i ddim ai clywed hynny a roddodd y ffasiwn dro yn fy stumog nes imi, am y tro cyntaf a'r tro olaf o flaen perfformiad byw, deimlo'n llythrennol sâl. A gwaeth fyth, fedrwn i gofio 'run gair o'r ddrama! Yr un gair. Safwn yn y tywyllwch yn fan'no, yn clywed sŵn y gynulleidfa fawr, yn ceisio dweud un llinell, unrhyw linell, ond fedrwn i ddim cofio 'run.

Yr oedd pethau erchyll ym mynd trwy'r meddwl. Byddai'n rhaid mynd ar y llwyfan a dweud wrth y gynulleidfa ei bod yn amhosib' mynd ymlaen oherwydd fy mod wedi anghofio'r ddrama i gyd. Yr oeddwn wrthi'n paratoi'r araith honno pan ddechreuodd cerddoriaeth William Matthias. Aeth Maureen ymlaen, ac fel mewn hunllef, dilynais innau. Daeth y llinell gyntaf o'm ceg, a phob un arall mewn trefn ar ei hôl. Does arna i fyth eisiau profiad fel'na eto.

Ambell waith fedr rhywun ddim gweld cynhyrchiad a thaith yn dod i ben yn ddigon buan. Y ddau dro y perfformiwyd 'Y Tŵr' buaswn wedi bod yn barod iawn i fynd ymlaen ac ymlaen.

Daeth cyfle i mi gyfarwyddo am y tro cyntaf yn 1979. Drama Huw Roberts, 'Hywel A', yn Eisteddfod Caernarfon. Anrheg i unrhyw gyfarwyddwr ydi 'Hywel A'. Gwyddonydd o ŵr celfyddydol ydi Huw — cyfuniad da i ddramodydd. Roedd Gwenlyn yn un arall. Mae'r elfen ffeithiol, drefnus, yn priodi hefo'r elfen greadigol ac yn cyflwyno gwaith ag ôl meddwl arno o'r ddau gyfeiriad.

Dwi'n siŵr i'r cast — Maureen, Huw Ceredig, Ifan Huw Dafydd, Mari Gwilym, Wyn Bowen Harries, Sioned Mair, Islwyn Morris a Dyfed Thomas — fy niawlio sawl gwaith ond cafwyd ymarferion didrafferth iawn. Yr oedd pob un ohonom yn mwynhau'r gwaith. Mae hynny bob amser yn help.

Ceir cymaint o fynd a dod trwy ddrysau mewn ffars, ac yn enwedig yn 'Hywel A', a threuliwyd un diwrnod cyfan fel y dynesai dydd y perfformiad yn gwneud dim ond hynny yn unig! Roedd y bendro ar bawb erbyn diwedd y dydd.

Yr hyn oedd yn braf oedd gweld yr actorion yn aros i wylio a mwynhau golygfeydd nad oedden nhw'n cymryd rhan ynddynt. Peth digon anghyffredin ydi hynny ar y cyfan.

Rhaid dweud gair am yr amser y bu Huw Ceredig yn yr arch. Ugain munud mewn arch a dim ond ffan fechan a dwy gwpan arian yn gwmni iddo! Y pen agosaf i gefn y llwyfan yr oedd twll bach sgwâr wedi'i wneud yn yr arch rhag ofn i Huw ein gadael go iawn rhyw noson. Un o eiliadau mawr y ddrama oedd gweld caead yr arch yn symud yn araf a byddai'r gynulleidfa ymhobman yn un sgrech pan ddigwyddai hynny.

Cael Huw Ceredig yn gwmni oedd un o ddiléits teithio. Y fo yn ddi-ffael a fyddai'n trefnu'r digwyddiadau cymdeithasol, yn enwedig felly os byddai'n llawiau hefo perchennog y gwesty. Fel yng Ngwesty 'Y Grand' yn y Borth ger Aberystwyth. Fe'i gwelaf o rŵan, yn ei 'smoking jacket' yn rheoli'r lolfa. Petai eisiau ail-wneud 'Ben Hur' Huw fyddai'r person perffaith i gymryd rhan yr Huw arall,

(Griffith). A synnwn i damaid na châi yntau 'Oscar' amdano.

Bob nos pan agorai'r llenni ar 'Hywel A' cymeradwyai'r gynulleidfa set arbennig Martin Morley a chrefftwaith Glyn Saer yr adeiladydd. Yr oedd Glyn hyd yn oed wedi creu canllaw grisiau un darn a hwnnw'n risiau tro. Cafwyd taith arall o dai llawn a geiriau da o bob cyfeiriad.

Yr oedd y tai yn orlawn i'r daith nesaf, cynhyrchiad David Lyn o 'Esther' a grybwyllais yn gynharach. Yr oedd yn rhaid cario mwy o gadeiriau i lawer o'r perfformiadau ac yn Theatr Clwyd symudwyd pwll y gerddorfa i wneud lle i bawb. Doedd y theatr honno erioed wedi gweld cymaint o bobl ar stepan ei drws.

Felly hefyd yr oedd hi hefo 'Un Nos Ola Leuad', yr addasiad llwyfan o nofel Caradog Prichard. Yn 1980, yn Eisteddfod Dyffryn Lliw, y cyflwynodd Maureen a minnau deyrnged i Caradog Prichard. Yr oeddem wedi cael gwahoddiad i gyflwyno awr o'n dewis ni yn Y Babell Lên a phan fu farw Caradog yr oedd rhaid rhoi teyrnged iddo.

Cyflwyniad syml, di-set, a wnaethon ni, cymysgedd o'r nofel a rhai o'r cerddi. Bu'r ymateb yn ddigon i ni ystyried ehangu'r cyflwyniad a daeth Grey Evans, Wyn Bowen Harries, Gwyn Vaughan a Gwen Ellis atom i deithio'r cynhyrchiad yn 1981.

Cafwyd taith fythgofiadwy i ni i gyd. Tai llawn ymhobman a gorfod trefnu perfformiadau ychwanegol. Fe wnaed tri mewn un diwrnod yn Theatr Gwynedd. Yr oedd ymateb y gynulleidfa'n wefr ac yn gymysgedd, fel gwaith Caradog ei hun, o chwerthin a chrio. Mae'r llon a'r lleddf yn gwbl anwahanadwy yn y nofel ac felly y dylai fod mewn unrhyw gynhyrchiad cyfryngol ohoni. Trwy lygaid plentyn y gwelir y cyfan a chan fod plant yn gallu pendilio o un pegwn emosiynol i'r llall, a gweld pethau trwy lygaid gwahanol iawn i ni oedolion, yr oedd yn hollbwysig plethu'r elfennau hynny.

Yn Nhreorci, ein perfformiad cyntaf yn y De, ymunodd y gynulleidfa yn y canu yn ystod yr olygfa 'Côr Sowth'. Bu'n rhaid inni aros am sbel cyn mynd ymlaen. Nid yn unig yr oedd y perfformiad wedi effeithio ar y gynulleidfa ond roeddynt hwythau yn eu tro wedi effeithio ar y perfformwyr.

Yn ystod y daith daethom i arfer â chlywed wylo yn y gynulleidfa, yn enwedig felly pan ganai Maureen 'Y Gŵr a fu gynt o dan hoelion', ond yn Theatr Twm o'r Nant, Dinbych, yn yr olygfa honno yr oedd ochneidio uchel dros y theatr. Yr oedd yn anodd gwybod a ddylid mynd ymlaen ai peidio. Mae'r theatr yn gallu bod yn gatharsis i lawer ac yn sicr, fel y clywsom wedyn, fe fu y noson honno.

Mae teithio cynyrchiadau fel 'Y Tŵr' ac 'Un Nos Ola Leuad' yn rhoi boddhad ond hefyd yn flinedig. Nid yn flinedig wrth deithio — mae rhyw ynni yn dod o lwyddiant — ond yn y dyddiau sy'n dilyn y perfformiad olaf.

Buaswn yn falch petai Caradog ei hun wedi cael gweld y cynhyrchiad hwnnw.

O edrych yn ôl fel hyn dros gyfnod 'Y Tŵr', 'Hywel A', 'Esther' ac 'Un Nos Ola Leuad', gallaf weld mor lwcus y bûm o gael bod yn rhan ohonynt. Y miloedd yn tyrru i'r theatr a'r theatr honno'n ffynnu.

Gadael y Llwyfan

Mae gennyf bob amser gydymdeimlad â rhai sy'n cael
eu hethol ar bwyllgor, hyd yn oed os yw penderfyniadau
rhai o'r pwyllgorau hynny yn achosi penbleth imi. Gwn
o brofiad y gall un person dylanwadol reoli pwyllgor ac
nad penderfyniad y mwyafrif yw'r un a wneir bob amser.

Wn i ddim pwy oedd y dylanwad ar Banel Drama
Cyngor y Celfyddydau ar ddechrau'r wythdegau, os oedd
un, ond yr oedd y panel hwnnw yn bendant am weld
newid yn nhrefn rheoli'r theatr yng Nghymru. Am weld
newid yn Nghwmni Theatr Cymru yn sicr. Fel y soniais
yn y bennod ddiwethaf, yr oedd yn gyfnod llewyrchus
iawn yn hanes y Cwmni. Cynyrchiadau o safon a theatrau
llawn. Mi wn nad yw 'poblogrwydd' yn gyfystyr â 'safon'
bob amser ond fe heriaf unrhyw aelod o unrhyw banel
i ddweud nad oedd y ddau yn mynd law yn llaw yng
nghynyrchiadau Cwmni Theatr Cymru yn y cyfnod
hwnnw.

Ond yr oedd cymylau duon ar y gorwel. Ers peth amser
bellach yr oedd Wilbert Lloyd Roberts yn gweinyddu bron
yn gyfan gwbl ac oherwydd ei allu fel cynhyrchydd yr oedd
hynny'n golled. Yr oedd Panel Drama Cyngor y
Celfyddydau yn nechrau'r wythdegau eisiau newid
pethau. Credaf eu bod yn gweld y sefydliad wedi tyfu'n
rhy fawr ac am weld mwy o gwmnïau eraill yn codi. Yr
oeddynt wedi mynegi hynny wrth Wilbert ac wedi rhoi
canllawiau pendant i'w dilyn ond hyd nes y daeth

swyddogion y Panel Drama i Fangor un diwrnod ni wyddai'r gweddill ohonom ddim am y canllawiau hynny. Yn sicr, ni wyddwn i, Gwilym Thomas y gweinyddwr na John Gwynedd. Cafodd Syr Thomas Parry, Cadeirydd Bwrdd y Cwmni, dipyn o sioc hefyd.

Cawsom alwad i'w dŷ ym Mangor Uchaf a dywedwyd hynny wrtho. Yr oedd yn flin iawn ac yn rhagweld difodiant y Cwmni. Fe symudodd o'r neilltu a daeth Yr Arglwydd Cledwyn o Benrhos yn Gadeirydd yn ei le. Bu Gwilym, John a minnau yn ei weld yntau hefyd yn ei swyddfa yng Nghaergybi.

Cawsom dderbyniad diplomataidd fel y gellid disgwyl a gwrandawodd ar ein cwynion. Wel, ein hunig gŵyn, sef nad oeddem wedi cael gwybod beth oedd yn digwydd. Fel yr oeddem yn gadael yr oedd car Wilbert yn cyrraedd. Yr oedd yn union fel ffilm 'Keystone Cops' ond heb fod cweit mor gyflym. Methu'n gilydd o drwch y blewyn.

Un cwestiwn a ofynnwyd i mi yng Nghaergybi oedd, a oeddwn i â'm llygaid ar redeg Cwmni Theatr Cymru? Yr un yw fy ateb heddiw â'm hateb yr adeg honno.

Gallaf eich sicrhau nad oedd gen i unrhyw fwriad i gymryd awenau'r Cwmni ar y pryd. Mae hynny'n bendant, waeth beth ddyfyd neb. Y fi fyddai'r person olaf i weinyddu unrhyw beth. Yr oeddwn i'n berffaith hapus yn cael perfformio a chyfarwyddo. Gwnaed eraill y gweinyddu. Fedra i ddim rhoi trefn ar 'stafell wag. Ond yr oedd wltimatwm y Panel Drama yn gymaint o follt fel yr ysgydwyd pob un ohonom. Fedrai neb wadu nad oedd dyfodol y Cwmni yn y fantol. Doedd dim dwywaith am hynny. Yr oedd yn rhaid i bethau newid.

O edrych yn ôl mewn gwaed oer heddiw, efallai y gellir

dweud i'r holl saga fod cystal â drama Shakespeare 'Much Ado About Nothing'. Ond ar y pryd yr oedd teimladau cryf iawn ynghylch y digwyddiadau. Peth hynod brin oedd gweld Wilbert yn colli'i dymer. Yr oedd yn berson llawer rhy graff i wneud hynny ond fe gollodd ei dymer hefo ni un diwrnod yn ystod yr helynt a bron yn llythrennol ein taflu allan o'i 'stafell. Ledled y byd, yr oedd yr Arglwydd Cledwyn, wrth gwrs, fel diplomydd, wedi setlo sawl anghydfod llawer mwy tyngedfennol na'r un bach yma ar garreg ei ddrws.

Daeth diwedd ar y siarad a'r malu gyda chyfarfod o'r Bwrdd ym Mron Castell. Yr oedd pawb a fu yn y brywes yn cael eu galw i mewn fesul un i gael eu holi. Daeth fy nhro i. Gofynnwyd imi a fedrwn ragweld unrhyw broblem wrth gydweithio hefo Wilbert yn y dyfodol? O gofio popeth a ddigwyddodd yn ystod yr wythnosau cynt, fe atebais yn onest y byddai cydweithio yn anodd o dan yr amgylchiadau. Dywedodd yr Arglwydd Cledwyn mai'r peth doethaf felly fyddai i mi adael y Cwmni ac y byddid yn talu yr hyn oedd yn weddill o'm cytundeb, rhyw £800, os cofiaf yn iawn. Fel y dywedodd cydweithiwr wedyn, 'Tipyn rhatach iddyn nhw na chael gwared â Wilbert.' Am y tro cyntaf ers y dyddiau hynny yn Chwarel y Penrhyn cefais y sac.

Dwi'n siŵr mai cael gwared â'r Cwmni yn gyfan gwbl oedd dymuniad Cyngor y Celfyddydau ar y pryd. Yr oedd, yn sicr, un neu ddau o elynion yno. Fe gawsant eu dymuniad cyn bo hir wedyn.

Er i Wilbert a minnau fod benben â'n gilydd am y cyfnod byr hwnnw does dim chwerwedd yn aros. Wilbert yw un o'r rhai cyntaf i ddod ar y ffôn os oes rhywbeth yr ydym ni acw wedi'i wneud sy'n ei blesio ac mae'r sgwrs yn felys bob amser pan gawn gwrdd.

Dechrau cyfnod newydd eto. S4C ar y gorwel a llawer o fwynhad i ddod.

'Tywyll Heno'

O gofio am 'Alpha Beta' ac yn arbennig am 'Y Tŵr', cafodd Maureen a minnau gynnig gwneud chwe drama i'r Sianel newydd. Yr awgrym cyntaf a roed inni oedd chwe drama i ddau gan Gwenlyn — yn null 'Y Tŵr'. Gwyddem y byddai hynny'n amhosib' cyn gofyn i Gwenlyn, ac fe gadarnhaodd yntau yn syth.

Yn naturiol, yr oeddem yn awyddus i dderbyn y cynnig ond yn llwyr sylweddoli nad dramâu i ddau a fyddent. Cytunwyd i wneud pedwar cynhyrchiad, a chomisiynu dramâu gan Ifor Wyn Williams, Huw Roberts, Gruffydd Parry ac Ewart Alexander.

Fe gafwyd sgript gan Jane Edwards hefyd, sgript gref iawn, sef portread o Mair Magdalen, ond oherwydd bod ynddi bortread o Grist fe bendefynodd rhywun nad oedd yn addas. Wn i ddim pwy a wnaeth y penderfyniad hwnnw ond, o gofio i'r BBC flynyddoedd ynghynt wneud 'Son of Man' gan Dennis Potter, yr oedd yn un anodd ei ddeall.

Yr oedd angen cwmni i'w cynhyrchu. Wedi hir bendroni ac er ei fod ar y pryd yn gynhyrchydd radio gyda'r BBC, awgrymodd Maureen y byddai Dafydd Huw Williams yn gwneud un da. Awgrymais innau Norman Williams fel Trefnydd i'r Cwmni. Yr oedd Norman ar y pryd gyda Chymdeithas y Celfyddydau ym Mangor ac yr oeddwn wedi dod i'w 'nabod yn dda. Sefydlwyd Ffilmiau Eryri ac ymhen yrhawg daeth y cyfrifydd Dennis

Jones o Ffilmiau Hiraethog atom i gadw trefn ariannol.

Felly yr oedd tri Chyfarwyddwr ar Fwrdd y Cwmni. Nid oedd S4C yn fodlon i Maureen a minnau fod yn Gyfarwyddwyr hefyd gan nad oeddynt ar y pryd am i ŵr a gwraig fod yn aelodau allweddol o'r un Cwmni. O, fel y mae pethau wedi newid erbyn heddiw! Ar ôl trafod gartref penderfynwyd mai y fi a fyddai'n mynd yn aelod o'r Bwrdd.

Bu'n rhaid i minnau adael yn fuan oherwydd fy mod yn gweithio i gymaint o gwmnïau annibynnol eraill. Norman yn unig sydd ar ôl bellach.

Cafwyd sgript gan Ewart Alexander yn delio â pherthynas mam a'i mab. Yr oedd y mab yn obsesiwn gan y fam ac er nad oedd unrhyw olygfa o losgach, nac yn wir gyfeiriad uniongyrchol at hynny, yr oedd yn ddrama ddadleuol. Drama wedi'i sgrifennu yn sensitif iawn ond ar bwnc dadleuol.

Cefais alwad frys un prynhawn i fynd i Swyddfa Eryri ym Mron Castell. Mae'r adeilad hwnnw wedi bod yn rhan allweddol o'm bywyd, yn ôl pob golwg! Yr oedd S4C wedi cysylltu â Dafydd Huw i ddweud eu bod, oherwydd natur y ddrama, wedi penderfynu ar y funud olaf i beidio â mynd ymlaen gyda'r cynhyrchiad. Gan fod cyfarwyddwr (David Lyn) a dyn camera (Dafydd Hobson) eisoes wedi'u cytundebu i wneud y gwaith, yn hytrach na pheidio â gwneud drama o gwbl, rhaid oedd cael drama arall yn ei lle.

Trwy lwc, yr oedd Maureen a minnau wrthi'n paratoi rhaglen i'r Eisteddfod ar waith Kate Roberts. Un noson estynnais bob llyfr o'i heiddo a feddwn a'u gosod yn un bwndel ar fy nesg. Ar ben y bwndel yr oedd *Tywyll Heno*.

Nid oeddwn wedi ei ddarllen ers blynyddoedd lawer a heb gael fawr o flas arno yr adeg honno, a dweud y gwir. Ond yr oeddwn yn awr yn edrych ar bethau o safbwynt gwahanol a gwelais fod deunydd ffilm yn y llyfr. Felly dyma gynnig *Tywyll Heno*.

Rwy'n siŵr y buasai Dafydd Huw a Norman yn cytuno iddynt edrych braidd yn gam ar y syniad. Doeddynt hwythau ddim wedi mwynhau'r llyfr chwaith. Dwi'n amau hefyd a fyddai S4C wedi derbyn y syniad oni bai bod gwir angen am ffilm i gymryd lle un Ewart.

Yr oeddynt wedi comisiynu rhywun i edrych ar weithiau Dr Kate i weld beth oedd posibiliadau eu haddasu ar gyfer y sgrîn ac nid oedd *Tywyll Heno* yn un ohonynt.

Es ati fel lladd nadroedd i addasu. Yr oeddwn yn gweithio ar gyfres o 'Dr Who' yn Llundain ar y pryd a bu'r llyfr yn gwmni cyson mewn gwestai ac ar drenau. Yr oedd y ffaith i Dr Kate ddweud mewn cyfweliad wrth Lewis Valentine yn *Seren Gomer* iddi weld *Tywyll Heno* mewn lluniau trwy gydol yr amser y bu'n ei sgrifennu o gymorth mawr i mi.

Canlyniad y cyfan oedd y cyfanwaith dwi'n bersonol fwyaf balch ohono. Er i mi addasu a chymryd rhan gallaf edrych ar y cyfanwaith yn wrthrychol gan mai ffilm Maureen a David yw hi, a Dafydd Hobson, wrth gwrs.

Cawsom fwy o lythyrau ar ôl y telediad nag ar ôl unrhyw gynhyrchiad arall. Llythyrau personol gan rai nad oeddem yn eu 'nabod, ynghyd â rhai oddi wrth ffrindiau a chydnabod.

Fe'i dywedaf eto — bod yn y lle iawn ar yr adeg iawn.

Dau Ddigwyddiad Mawr

Diwedd 1983. Yr oedd Robin erbyn hyn yn ddwy ar bymtheg a Rhys yn dair ar ddeg. Tipyn o sioc felly oedd darganfod ein bod yn disgwyl 'chwaneg o deulu.

Derbyniodd Robin y newydd gyda'i frwdfrydedd arferol. Rhys, yn iau, yn amau ar y cychwyn mai tynnu coes yr oeddym.

Ganed Guto ar yr ail ar hugain o Fehefin, 1984, diwrnod olaf saethu'r gyfres o 'District Nurse' yng Nghaerdydd. Pan ffoniais adref y noson cynt wnes i ddim meddwl bod popeth mor agos.

Y gwir oedd ei bod yn aros i'r ambiwlans gyrraedd. Ganed Guto yn ystod y nos a chefais innau wybod hynny pan ffoniais yn gynnar fore trannoeth. Fel ar achlysur geni Rhys, yr oeddwn yng Nghaerdydd unwaith eto.

Y tro yma hefyd yr oeddwn yn rhuthro'n ôl i weithio'n syth bin ar gynhyrchiad arall gan adael Maureen yng ngofal y teulu. Fe ddylwn fod wedi dweud 'na' ac aros gartref ond wnes i ddim.

Robin oedd y cyntaf i fynd i edrych am Maureen yn yr ysbyty ac fe fyddai o'r cychwyn yn mynd â Guto am dro yn y goits ac, yn aml, âi Rhys yn gwmni iddo. Tipyn o beth i ddau hogyn o'u hoedran nhw. Yn wir, fe wnaeth sawl dieithryn gamgymryd yr hogyn gwallt cyrliog y tu ôl i'r goits am dad y bychan gwallt cyrliog yn y goits!

Mae Robin a Rhys, er eu bod gymaint yn hŷn, wedi

bod yn ddau frawd arbennig i Guto ac mae'r ddau yn arwyr iddo yntau.

Yr oedd Guto yn ei goits yn Eisteddfod Genedlaethol yr Urdd ym Methesda yn 1986. Pan dderbyniais y gwahoddiad i fod yn Llywydd ar y dydd Iau wnes i 'rioed ddychmygu y byddai'r Dydd Iau hwnnw yn aros yn fy nghof am byth.

Dwi'n un drwg am adael pethau tan y funud olaf. Disgwyl i ryw Awen, neu beth bynnag, fy nharo er mwyn gwneud y gwaith caled o feddwl yn haws. Y 'noson cynt' yw hi o hyd hefo cymaint o bethau. Ond pan eisteddais i lawr i sgrifennu araith ar y nos Fercher fedrwn i yn fy myw roi trefn ar bethau. Yr oedd gen i syniad beth i'w ddweud ond dim syniad sut i'w ddweud o.

Pan ffoniodd Dafydd Orwig fi yn hwyr y nos Fercher honno i gael tamaid o'r araith i'w rhoi i aelodau'r wasg fore trannoeth bu'n rhaid imi gyfaddef nad oedd gen i yr un gair i'w roi. Yr oedd hi tua dau arna i'n mynd i'r gwely a hyd yn oed yr adeg honno doedd fawr o lewyrch ar bethau. Codais am chwech a mynd yn ôl at y teipiadur ac fe ddaeth y cyfan yn un llif.

Cyn mynd i mewn i'r babell cyfaddefais wrth un neu ddau fy mod yn arbennig o nerfus. Gan mai actor ydw i ac wedi hen arfer bod o flaen cynulleidfa doedd neb yn fy nghredu. Yn wir, cawn yr argraff eu bod yn meddwl mai dweud celwydd yr oeddwn i. Ond yr oeddwn i'n nerfus.

Sylwodd un neu ddau y tu ôl i mi ar y llwyfan fod fy nghoesau'n crynu wrth imi gerdded ymlaen. O wrando ar recordiad o'r araith wedyn mae'r llais yn bradychu'r nerfusrwydd hwnnw yn glir.

Dyma a ddywedwyd.

'Diolch i chi am eich croeso ac am y cyflwyniad yna. Dwi'n falch iawn o fod adra yn Pesda. Fedra i mo'i alw fo'n Bethesda 'taswn i'n trio. A dwi'n hynod ddiolchgar am gael y fraint o fod yn Llywydd yn y 'Steddfod 'ma 'leni.

Mae'r 'Deryn' wedi hedfan yn uchel iawn heddiw. Ond mae yna un arall y dylwn i ddiolch iddo fo. Dic Pŵal, Minafon. Hefo fo dwi wedi bod yn byw ers deufis, ond mi adawodd i mi ddŵad yma am ychydig ddyddiau, chwara teg iddo fo. Mi gynigiodd o sgwennu'r araith hefyd ond mi rois stop arni hi'n fan'na.

Dydi hi yn homar o 'Steddfod. 'Steddfod wych. Bron na ddeudai ei bod hi'n fraint i'r Urdd gael dod yma.

Mae pawb a phopeth wedi trio'i baglu hi. Ffarmwr, gwynt, glaw, mwd, crocbris ariannol i'w godi, colli trefnydd, streic, ffliw, mwy o wynt, ond maen nhw i gyd wedi rhoi'r ffidil yn y to bellach. Maen nhw i gyd wedi ffeindio na fedrwch chi ddim curo'r 'how-gets' ar chwarae bach.

Dydan ni wedi concro pethau llawer mwy yn ein hamsar. Tasan nhw wedi bod yn ysgol Pesda ac yn mynd ar fws y tîm ffwtbol ers talwm mi fasan yn gwbod nad oedd hi yn werth trio, wchi. Mi oeddan ni yn canu cân —

> Maen nhw'n tyff, mighty tyff, yn tŷ ni,
> Maen nhw'n torri bara menyn efo lli,
> Maen nhw'n byta weiar netting
> Ac yn ca . . .

Ac yn fan'na ma Dic Pŵal yn dechra canu!

O, ydan, 'dan ni'n tyff. Brid calad ydi brid y chwaral. Dan ni'n dal yma, wchi. Lle i fusutors ydi Castall Penrhyn heddiw. Wnaeth yr hen wal fawr 'na ddim gweithio, naddo, mei lord. Fues i 'rioed yno, wchi, a digon o waith yr a i bellach.

Tasa'r hen lord yn ei gastall heddiw mi fasa fo'n credu'n siŵr ma'i enedigaeth fraint o oedd cael bod yn Llywydd. Sgwn i be' fasa fo'n ddeud tae o'n gwbod mai mab i chwarelwr gafodd y fraint.

Bora dydd Mawrth, yn y cefn 'na, roedd pawb wedi ymgynnull ar gyfer y seremoni agoriadol. A'r gwynt yn chwythu. Ond yr oedd pob un wan jac yn gwenu, wchi. Ac fel y deudodd Aled Roberts wrtha i, "Dan ni'n iawn, sti, i fyny i "Force Twelve".' Fel y byddai'r chwarelwyr yn ganu yn ystod y Streic Fawr, 'Yn wyneb pob caledi y sydd neu eto ddaw.' A be' oedd y gair cyntaf ddwedwyd o'r llwyfan 'ma gan Wil Lloyd Davies — Llawenhewch. Ac Amen meddai pawb. Llew Llechan ydi'r arwyddair a does gan y Llew yma ofn dim.

A mae yna un nodwedd arall amdanon ni. Dydan ni ddim yn licio i bethau fod yn rhy hawdd. Mi fyddai'n well o lawer gynnon ni guro tîm da o ddwy gôl i ddim ers talwm na rhoi harnish 'fifteen—nil' i dîm sâl. Roeddach chi'n teimlo ar ddiwedd y gêm wedyn eich bod chi wedi gneud camp. A ga i ddeud, pan ddaw hi'n nos Sadwrn mai dyna ddylia Pwyllgor yr Eisteddfod yma deimlo. Mae o wedi gwneud camp, camp aruthrol. A phobol yr ardal, pobol y fro, rhowch glap i chi'ch hunain am godi cant a chwech, a mwy, o filoedd o bunnau. Mi oedd Pasiant y Plant a'r sioe 'Dan Oed' yn werth mwy na dwbwl yr arian yna. Mi oedd wynebau'r saith gant o blant a phobol ifanc gymerodd ran yn werth ffortiwn.

Un peth sydd wedi fy llonni i yn fawr yr wythnos yma

ydi'r nifer o bobol sydd wedi dod ata i ar y maes i ddweud am y croeso maen nhw wedi'i gael yma. Mi ydan ni yn rhai da am groeso. Fel deudodd yr hen wreigan honno wrth Syr Ifor Williams ers talwm am y dyn croesawgar, 'Wchi be, Mr Wilias bach, mae o'n ysgwyd eich llaw chi nes ma'ch sana chi'n dŵad i lawr.'

Ar fy ffordd adra o'r maes 'ma dydd Mawrth mi es i trwy Sling. O'n i'n meddwl 'i fod o'n anfarth o le ers talwm. Coesa byr oedd gin i mae'n rhaid. A ma siŵr y basa Allt Ty'n Llidiart yn teimlo'n hir os oeddach chi'n pwshio'ch beic.

Sling. Enw difyr ar bentra difyr. Dwi'n cofio diwrnod cynta yn y Brifysgol ym Mangor i Miss Enid Pierce Roberts ofyn i mi beth oedd ystyr y gair. Wel, medda fi, ma Dad yn deud am ei fod o'n bentra mewn fforch, fath â sling lluchio cerrig. Mi wenodd a dweud mai ystyr y gair yn ôl Syr Ifor Williams oedd 'darn o dir'. O'n i jest â marw isio deud 'Wel, un o Dregarth oedd o. Mae dad yn "native".'

A fedra i ddim meddwl am le gwell i fagu cyw a dyfodd yn Dderyn. Lle i ddysgu mai llond ceg o iaith ydi'r Iaith Gymraeg. Lle i ddysgu sut i'w deud hi gan bobol oedd yn medru 'i deud hi'n iawn. Ac yn ei deud hi heb feddwl oedd yna yfory iddi ai peidio am mai dyna oedd y peth naturiol i'w wneud.

A dyna pam mae mudiad fel yr Urdd mor anhraethol bwysig i'w gadw a gofalu amdano fo. A gofalu amdano fo'n iawn. Am be' fyddwch chi'n meddwl wrth glywed y gair 'Urdd'? 'Steddfod? Llangrannog? Glanllyn? Ynta pres? Ers amser bellach mae hi fel tasa'r Urdd ynghlwm trwy'r amser hefo gofyn am bres. Prynu o hyd yn lle gwerthu. Rydan ni'n sâl iawn fel cenedl am werthu'n hunain. Nid yn unig i bobol eraill ond i ni'n hunain.

Os ydach chi isio pobol i brynu rhwbath ma' raid i chi ddysgu'i werthu o . . . dangos 'i fod o'n werth 'i brynu. Os ydach chi'n deud o hyd fod yna draffarth ar ôl traffarth mi eith pobol i gredu nad ydi'r hyn sy gynnoch chi ddim gwerth i'w gadw a fasa waeth iddo fo farw ddim.

A pheidio â dibynnu ar ewyllys da o hyd. Un peth ydi perswadio'r galon i lenwi'r walat. Ond ar ôl llenwi'r walat mae isio cofio ym mha bocad yr ydach chi wedi'i rhoi hi. A phan fyddwch chi'n ei thynnu allan nad ydi'r gwynt ddim yn cipio lot o'r papura. Fedrwn ni ddim fforddio colli'r Urdd ond fedar yr Urdd chwaith ddim fforddio'n colli ninnau. Tybad ydwi'n taro'r post i'r gôlcipar glywad. A mae isio deud be sgin y tîm i gyd i'w gynnig a'i fod o'n chwara mewn sawl cynghrair.

Dwi'n greadur optimistaidd iawn, wedi bod erioed. A mae yna bobol sydd wedi cynnal fy optimistiaeth i. Dwi am sôn am un.

Pan fydd haneswyr y dyfodol yn edrach i mewn i Hanes yr Iaith yng Nghymru yn ystod y chwedega, saithdega a'r wythdega 'ma, mi ddôn ar draws un enw yn amal iawn. Mewn papurau newydd hefo'i lythyru diflino, mewn cynghorau a chyfarfodydd, ar bwyllgorau di-ri, ac yn arbennig yn hanes ei ardal, a mi welan na fu odid neb yn gweithio'n galetach tros ei wlad a'i iaith. Yr enw hwnnw ydi Dafydd Orwig.

Mae o wedi bod yn arwr gen i erioed. Wel, well i mi ddweud iddo gael ambell drafferth hefo fi hefyd. Roedd o'n dysgu Daearyddiaeth i mi yn yr ysgol a mi gofia i un pnawn dydd Mercher yn arbennig. Mi sbiodd reit ddu arna i. Roedd o'n athro o ddifri hefyd ond yn barod iawn â'i wên. Trafod ystadegaeth poblogaeth Sir Gaernarfon oeddan ni pan ddeudodd o'n sydyn fod 'na ddeuddag mil yn fwy o ferched yn byw yn Sir Gaernarfon nag oedd 'na o ddynion. A dyma finna'n gofyn, 'I le maen nhw i gyd yn mynd ar nos Sadwrn?'

Dyn y gobaith ydi Dafydd Orwig a fel mae Ieuan Wyn yn 'i ddeud yn ei Gywydd Croeso bendigedig, 'rhown heibio yr anobaith'. Ia, be' am i ni i gyd wneud hynny? Wrth gwrs mae'n rhaid i ni fod yn wyliadwrus trwy'r amser. Mae yna o hyd foch sydd yn barod i ruthro ar y winllan — ac yn ôl yr olwg oedd ar y maes yma dydd Mawrth mi faswn yn taeru bod 'na rai wedi bod yma'n barod. Ond 'dan ni'n fwy parod amdanyn nhw rŵan nag y buom ni. 'Dan ni wedi cael 'nap' go hir ond 'dan ni wedi deffro erbyn hyn. A deffro hefo gwên, a honno'n llawn o hunanhyder. Welsoch chi erioed pa mor sydyn y mae mochyn yn troi at ei gwt ei hun pan 'dach chi'n 'i wynebu o hefo hynny.

A chofio yn anad dim ein bod ni'n wydn. Fel hen esgid. O, ydan. 'Dan ni'n tyff . . . mighty tyff . . . yn tŷ ni.'

Yr oedd y munudau nesaf yn rhai a fydd wedi'u serio ar fy nghof i am byth.

Wrth feddwl yn ôl am Eisteddfodau a'u perfformiadau mae un Eisteddfod yn sefyll allan am reswm arall, sef Casnewydd 1988 a'r brotest Deddf Iaith y tu allan i'r Swyddfa Gymreig yng Nghaerdydd.

Nid oeddwn wedi bod yn brotestiwr amlwg cyn hynny ond yr oedd gennyf edmygedd mawr o arweinwyr Cymdeithas yr Iaith, eu dycnwch a'u dyfalbarhad. Nid protest ar faes yr Eisteddfod oedd hon ond cyfle i dynnu sylw at y sefydliad lle'r oedd y cam yn digwydd.

Fel y dywedodd y *Western Mail*, '*Thirteen demonstrators, many of them middle-aged men and women . . .*' Yr oedd yn fraint cael bod yn un o'r tri ar ddeg, sef Carl Clowes, Robat Gruffudd, Cen Llwyd, Dyfan Roberts, John Rowlands, Dyfrig Thomas, Gwilym Tudur, Menna Elfyn, Enfys Llwyd, Helen Prosser, Manon Rhys, Maureen Rhys ac Angharad Tomos.

Y syndod i Maureen a minnau, yn dilyn y cyhoeddusrwydd, oedd yr adwaith a gafwyd ar y stryd ym mhobman. Cefnogol iawn. Mae'n ymddangos bod llawer mwy o gefnogaeth i'r iaith nag a feddyliwn yn aml.

Richard a Robin

Mae acw dri llond drôr o luniau, rhaglenni, posteri, adolygiadau ac ati a gasglwyd dros gyfnod o ddeng mlynedd ar hugain a mwy. Drôrs atgofion. Bydd rhaid rhoi trefn arnynt rhyw ddiwrnod; rhoi'r darnau yn dwt yn eu lle. Gan na fûm yn un am gadw dyddiadur erioed y rhain ydi'r cysylltiad â'r pethau a fu.

Bûm yn chwilota ynddynt y noson o'r blaen ac ni allwn beidio â meddwl am y cwestiwn a ofynnir yn ddi-ffael bob tro y byddaf yn ymweld ag unrhyw gymdeithas, sef 'Pa ran ydach chi wedi mwynhau 'i wneud fwya'?'

Yr ateb parod sydd gen i bob amser ydi 'Yr un nesaf.' Mewn gwirionedd mae'n amhosib' rhoi ateb i'r cwestiwn oherwydd bod 'darnau ohonof ar hyd y lle'.

Yn y drôrs mae'r darnau, a dwi eisoes wedi crybwyll rhai ohonynt. Dyma rai eraill.

Rhan 'Claish' yn 'Y Gosb' gan Emyr Humphreys, rhan fechan o ran maint ond un hynod o bwerus. Nid maint y rhan sy'n bwysig wedi'r cwbl.

Portreadu T. Glynne Davies yn y 'Chwerthin Sy' Mor Drist' gan Vaughan Hughes/Eifion Lloyd Jones, a chofio am gyflwyniad arbennig iawn Stewart Jones o 'Adfeilion'. Urddas ei edrychiad a'i ddweud. Eisteddwn yno'n gwrando arno a chael fy nghyfareddu. Mae sawl perfformiad gan Stew wedi gwneud hynny i mi.

'Hedydd yn yr Haul' — T. Glynne eto.

'Saer Doliau' — Gwenlyn, ac yn falch iawn o'r

perfformiad hwnnw. Y tro olaf i mi weithio gyda'r ddiweddar Myfanwy Talog.

'Bardd yr United Kingdom' yn y gyfres 'Almanac'. Mwynhau pob munud o'i gwneud. Cyfres a ddylai fod yn dal i redeg yn wythnosol oedd 'Almanac'. Gwn fod rhaglenni tebyg dan deitlau eraill wedi bod ond mae'n ddyletswydd cyflwyno'n hanes yn ddi-dor ar y teledu.

'Hogi Arfau', y gyfres ar hanes y Diwydiant Llechi.

'Chwedlau Jogars', y gyfres radio a wnes i hefo fy hen gyfaill annwyl, Gari Williams. Dwi'n ei chael hi'n anodd o hyd i ddygymod â'r ffaith bod Gari wedi'n gadael ni a dwi'n dal i ddisgwyl clywed corn ei gar y tu allan i'r tŷ acw. Bu'n ffrind ffyddlon, yn gwmni diddan ac roedd rhyw sbarc rhyngom. Elwyn Jones, sydd bellach wedi ymddeol o'r BBC, a gynheuodd dân o'r sbarc honno. Cawsom ein taflu at ein gilydd rywdro a dyna ddechrau ar raglenni a chyfeillgarwch.

Welais i neb tebyg iddo o flaen cynulleidfa. Gwyddai'n union beth i'w ddweud a phryd i'w ddweud o, boed mewn festri capel neu glwb nos. Yr oedd yn 'nabod ei gynulleidfa ble bynnag yr oedd hi.

Cawsom oriau lawer o gwmni'n gilydd a fedra i wneud dim ond diolch am gael ei 'nabod.

Y mae dau ddarn yn aros, dau ddarn go bwysig i mi hefyd. Mae digon o bethau i'm hatgoffa ohonynt yn y drôrs. Richard a Robin — Richard Powell ('Minafon'), Robin Pritchard ('Deryn').

Nid yn aml y mae rhywun yn cael pyjamas yn anrheg a hithau heb fod yn Nadolig, yn enwedig un a'i falog wedi'i wnïo'n sownd! Dyna a ddaeth acw oddi wrth ferched ffatri 'Aykroyds', Y Bala. Ie, ynghyd â thrôns bach du a rhywbeth reit awgrymog wedi'i brintio ar ei flaen o. Crys-chwys hefyd, hefo'r geiriau 'Dilynwch Fi' ar y tu blaen ac ar y cefn 'I'r Gwely'! Nid i mi yr oedd yr anrhegion ond i Dic Pŵal.

Er iddo fod yn gymaint o hen gachwr ar lawer achlysur daeth Dic yn ffefryn mawr mewn cyfres a fu'n hynod boblogaidd ac a fu ar un adeg, yn ôl yr ystadegau (os oes coel ar y rheiny), yn denu mwy o wylwyr na hyd yn oed 'Pobol y Cwm'.

Dawn cymeriadu a deialog Eigra Lewis Roberts oedd sylfaen y poblogrwydd hwnnw. I mi, un prawf o sgript dda ydi fod y ddeialog yn hawdd i'w chofio. Yr oedd deialog Eigra yn aros bron ar ôl un darlleniad ac yn profi nad oes rhaid wrth fratiaith i ddenu gwylwyr. Dyma un llinell yn unig i ddangos hynny. Dic Pŵal yn 'i chael hi gan Hannah Haleliwia: 'Drws clo gewch chi fan hyn, Richard Powell, nid cliciad barod fel un Eunice Murphy.'

Yr oedd degau o rai tebyg yn britho sgriptiau Eigra, neu 'mam' fel y bydda i'n ei galw, a hithau'n ateb 'mab'. Fe gaiff 'mam' brynu hanner o laeth mwnci imi y tro nesaf y gwelaf hi oherwydd mae'n fwy na thebyg na fuasai cyfresi 2, 3, 4 a 5 o 'Minafon' wedi bod oni bai amdanaf fi! Yr oedd S4C eisiau gwneud mwy ar ôl y gyntaf ond nid oedd y cynhyrchydd, Alan Clayton, am wneud y gwaith. Felly, fe ddywedais i y busai Ffilmiau Eryri yn gwneud hynny. Ffonio o Gaerdydd i Fangor i gadarnhau hefo'm cyd-gyfarwyddwyr ac felly y bu.

Daeth pentref Trefor i arfer hefo llond bysiau a cheir yn cyrraedd yno i weld 'Minafon'. Roedd amynedd y pentrefwyr hefo nhw, fel hefo ninnau tra'n ffilmio, yn ddi-ben-draw. Tuedd criw ffilmio ydi cymryd popeth trosodd yn llwyr, fel petai bywyd go iawn i fod i stopio i wneud lle i fywyd smal. Rhyfeddaf bob amser at oddefgarwch pobl sy'n rhoi eu tai a'u heiddo i griw ffilmio. Er bod pob cwmni, o'm profiad i, yn hynod ofalus o'r eiddo hwnnw, mae'r styrbans i'r perchnogion yn fawr.

Y cwestiwn a ofynnid am hydoedd ar ôl i'r bumed gyfres, yr olaf, ddod i ben oedd 'Pryd ma' Minafon yn dŵad yn ôl?' Felly hefyd ar ôl 'Deryn'.

Cofiaf eistedd yn y car ar ochr ffordd 'Dean Street' ym Mangor pan ddaeth hogyn ifanc a rhoi cnoc ar y ffenest. Gofynnodd, *'Are you the Deryn, aye?'* Yr oedd yn wyliwr brwd er mai yn Saesneg Bangor yr oedd yn dweud hynny. Fel llawer o bobl Bangor, a sawl 'Bangor' arall drwy Gymru, yr oedd yn deall Cymraeg yn iawn ond prin yn ei siarad. Ond nid trwy blygu i roi Saesneg mewn rhaglenni y mae eu denu i wylio.

Cymraeg byrlymus Meic Povey a Mei Jones oedd y ddeialog. Cyfres gyhyrog am bobl gyffredin go iawn oedd hi ac felly yn denu gwylwyr drwy sefyll ar ei thraed ei hun. Dyna ydi cryfder Meical a Mei. Medrant greu stori dda am bobl go iawn i'w dweud wrth bobl go iawn, ac mae gwaith y ddau ar ôl 'Deryn' wedi profi hynny drosodd a throsodd.

Yn y ddrôr acw hefyd y mae tâp fideo o atgofion am 'Deryn'. Fe'i cefais yn anrheg ar ddiwedd yr ail gyfres. Tâp o gamgymeriadau ydi o, a'r rhan fwyaf ohonynt ddim ffit hyd yn oed i Jeremy Beadle. Arno hefyd mae ambell olygfa gyda chamgymeriad hollol fwriadol! Mae tâp tebyg o atgofion 'Minafon' gen i hefyd. Anrhegion gan y ddau gyfarwyddwr Alun Ffred a Dennis Pritchard Jones. Mae gen i barch mawr at Alun Ffred, nid yn unig o fewn y diwydiant ond am ei waith gwleidyddol lleol. Dwi'n mwynhau gweithio hefo Ffred bob amser. Digon o hwyl ond dim nonsans! Cymeriad hoffus ydi D.P.J., a rhyw steil o'i gwmpas. Mae'n dynnwr coes ond yn un a gymer dynnu ei goes yntau. Diolch byth, o gofio i mi wneud hynny gymaint o weithiau.

Trueni na fedrwyd recordio'r hyn a digwyddodd pan oeddem yn ffilmio yn y 'siop fideo' yng Nghaernarfon un diwrnod. Siop wedi'i chreu yn arbennig ar gyfer y ffilm oedd hi ac er gwaethaf y ffaith fod goleuadau a phob math o geriach ar draws ac ar hyd yr oedd rhywun byth a beunydd yn troi i mewn un ai i ofyn am fideo neu i ofyn am newid i'r peiriant talu am barcio gerllaw.

Newydd orffen recordio am y bore yr oeddem a minnau wedi mynd i'r cefn i newid pan ddaeth Sais i'r drws i chwilio am dâp fideo. Hefo John, J. O. Roberts, y siaradodd gyntaf ac yn lle egluro iddo mai set ffilm oedd hi dyma John yn dweud yn gwbl ddifrifol bod y perchennog yn y cefn! Ar ei wyliau ac eisiau ffilm 'fudr' yr oedd y brawd erbyn deall ac yn barod i dalu'n hael amdani. Dywedais innau mai ar ddiwedd pob mis y caem bethau felly, yn syth o Amsterdam. Yr oedd yn gadael Caernarfon ymhen deuddydd ac aeth allan o'r 'siop' yn ddyn siomedig iawn.

Ai fi sy'n mynd yn hen neu a ydi llawer o'r hwyl a'r mwynhad wedi'i golli o'r diwydiant? Mae'r pwysau i orffen pethau'n gynt, i wneud yr oriau'n hirach, i geisio cael dau am bris un, wedi cynyddu'n arw yn ystod y blynyddoedd diwethaf 'ma. Felly y mae hi ymhob gwaith arall hefyd, neu dyna'r argraff a geir wrth siarad hefo pobl mewn diwydiannau eraill.

Mae un cysur. Fel y dywedai'r 'Deryn' yn aml, 'Mae fory heb ei dwtsiad.'

Fel y soniais eisoes, dwi'n greadur hen-ffasiwn a wela i ddim bod gostwng safon iaith o gymorth yn y byd i gystadlu am wylwyr newydd. Safon y rhaglenni y mae'r iaith ynddynt sydd yn mynd i ddenu a chadw gwylwyr. Dysgais wers i'r perwyl hwnnw yn gynnar iawn. Pan oedd Maureen a minnau yn nhŷ ei mam un tro daeth cymdoges draw am sgwrs. Byddai'r gymdoges honno yn sicr yn cael ei rhoi yng nghategori 'Gwyliwr Cyffredin', yn 'Mrs Jones, Llanrug', gan ein penaethiaid. Y bobl y mae eisiau 'siarad i lawr hefo nhw' a rhoi Saesneg mewn rhaglenni i'w denu. Gofynnodd yn sydyn faint o'r gloch oedd hi. O gael clywed ei bod ar ben wyth, rhuthrodd am y drws gyda'r geiriau, 'Kenneth Clarke, "Civilisation", byth yn 'i golli o.'

Byddai'n dda i'r frawddeg yna gael ei gosod ar wal pob Pennaeth Cyfryngol. Mae yn sicr wedi aros hefo mi.

Cyhuddir y rhai ohonom sydd yn ceisio gwarchod safon y Gymraeg o fod yn 'elitaidd'. Dywedwyd fy mod i yn fy ystyried fy hun yn un o'r 'Cymry dethol' yn fy wyneb yn ddiweddar gan un o brif swyddogion Radio Cymru. Un na fyddai yn adnabod ei 'wrandawr cyffredin' petai'r cyfryw berson, os ydi'r ffasiwn berson yn bod, yn ei daro ar ei drwyn hefo llond bag o dreigladau. Tybed ai esgus dros wneud rhaglenni rhad, ffwrdd-â-hi, ydi'r holl sôn am ddenu cynulleidfa newydd a chymryd yn ganiataol bod y rhai hynny yn fratiog eu hiaith ac yn isel eu deallusrwydd? Jeremy Paxman a ddywedodd, *'Never over-estimate your audience's knowledge but never ever under-estimate their intelligence'*.

Dywedaf eto, safon y rhaglen sydd yn bwysig. Yr Athro Gwyn Thomas a fathodd y term 'sothach da'. Wrth ei ddweud mae'r pwyslais yn disgyn yn naturiol ar y gair 'da'. Ac felly, yn naturiol, y dylai hi fod.

O Law i Leni

I sicrhau y byddai'n parhau mewn bodolaeth daeth gorchymyn/cais ar i Theatr Gwynedd ffurfio Cwmni ei hun. Cyn hynny lle i gwmnïau eraill berfformio oedd y Theatr.

Ers i Gwmni Theatr Cymru ddod i ben doedd yr un cwmni 'mawr' yn y Gogledd i wneud cynyrchiadau 'mawr'. Ansoddair camarweiniol iawn ydi 'mawr' yn y cyswllt yma, wrth reswm, oherwydd nad maint rhywbeth sy'n penderfynu ei 'fawredd' bob tro. Fodd bynnag, yr oedd Cyngor y Celfyddydau yn awyddus i gael Cwmni i berfformio 'clasuron'. Cafodd J. O. Roberts, William R. Lewis a minnau ein gwahodd gan Dafydd Thomas, Rheolwr y Theatr, i helpu sefydlu'r Cwmni hwnnw. Yr oedd un dyn arall yn y criw a ddaeth at ei gilydd, sef Graham Laker.

Yr oeddwn yn 'nabod Graham ers ein dyddiau ar staff yr Adran Ddrama yn y Brifysgol. Y pryd hynny yr oedd yn Sais o Brighton; erbyn hyn y mae'n Gymro o Fangor. Yr oedd am aros yn yr ardal ar ôl i'r Adran gau ac er mwyn cael gwneud hynny fe ddysgodd Gymraeg. Mae Graham yn un o'r bobl mwyaf bonheddig y gwn i amdanynt ac mae gen i barch mawr iddo fel person ac fel cyfarwyddwr. Yr oedd o a John O. a minnau newydd weithio hefo'n gilydd ar y ddrama Saesneg 'Sleuth' a berfformiwyd dros yr haf yn y Theatr. Drama i ddau, 'thriller', a chawsom hwyl fawr wrth baratoi a pherfformio.

Daeth John a minnau i 'nabod ein gilydd yn dda yn ystod y cynhyrchiad ac i ddibynnu llawer ar ein gilydd, a daeth y ddau ohonom i 'nabod Graham ac i wybod y gellid dibynnu arno yntau. Doedd dim angen chwilio ymhell am Gyfarwyddwr Artistig i'r Cwmni newydd.

Yn ein cyfarfodydd gyda Chyngor y Celfyddydau pwysleisiem mai arian newydd a ddylai ariannu'r Cwmni, nid arian wedi'i dynnu oddi wrth Gwmnïau eraill. Gan mai'r Cyngor oedd yn awyddus i sefydlu'r Cwmni, yna, cyfrifoldeb y Cyngor oedd ffeindio'r arian. Er mwyn i bawb ddeall mai dyna oedd ein safbwynt gwahoddwyd cynrychiolwyr o'r Cwmnïau eraill i'n cyfarfodydd hefo'r Cyngor.

Yn anffodus wnaeth hynny ddim rhwystro drwg-deimlad. Bu ymosodiadau personol iawn ar aelodau o'r pwyllgor ac o leiaf un llythyr dan enw arall mewn papur newydd. Tra'n derbyn yr hawl i warchod buddiannau a dyfodol pob sefydliad arall yr oedd y Cwmni newydd yn mynd i fod yn ffynhonnell mwy o waith i actorion a thechnegwyr a hynny heb golli unrhyw ffynhonnell arall. Gwnaeth yr awyrgylch ni'n fwy penderfynol fyth o sicrhau llwyddiant.

Wil Lewis a gafodd y syniad o addasu *O Law i Law* fel cynhyrchiad agoriadol. Yr oedd yn rhaid denu cymaint o bobl â phosib' i'r cynhyrchiad cyntaf ond wnaeth yr un ohonom ragweld na hyd yn oed breuddwydio maint y llwyddiant hwnnw.

Roedd pob theatr yn llawn dop a phobl yn teithio cryn bellter i weld y cynhyrchiad os oedd pob sedd wedi mynd yn eu theatr leol. Unwaith eto gwnaeth Martin Morley gampwaith o set a llwyddodd Graham i wau'r cyfan at ei gilydd gyda'i weledigaeth arferol. Tra'n aros i ddod ar y llwyfan o'r tu ôl i'r llenni byddai Grey a minnau wrth ein boddau'n gwylio mwynhad y gynulleidfa wrth weld John O. a Trefor Selway yn gwthio Eric Roberts i fyny'r allt yn y ferfa. Erbyn hyn y mae Grey wedi ymuno hefo ni ar Fwrdd y Theatr, a'i gynghorion doeth bob amser yn werth gwrando arnynt.

Yn Theatr Clwyd daeth 'O Law i Law' bron i stop yn ystod golygfa torri'r bara menyn. Am ryw reswm yr oedd crystyn y dorth yn bur galed y noson honno a phan lwyddodd John O. i dorri trwodd dyma'r dafell yn hedfan trwy'r awyr oherwydd nerth yr ymdrech. Wrth i'r dafell basio fy nhrwyn, yn hollol reddfol fel hen gricedwr, fe'i daliais â'm llaw chwith. Roedd y gynulleidfa'n cymeradwyo gan feddwl, decini, fod hyn yn digwydd bob nos. Ymhen ychydig eiliadau dyma'r wy wedi'i ferwi yn hedfan trwy'r awyr a dyma ddal hwnnw hefo'r llaw dde! Aeth y gynulleidfa, a John a minnau, yn horlics wedyn. Diolch bod egwyl yn dilyn i ni i gyd gael pum munud i ddod atom ein hunain.

Gwnaed cyfieithiadau o ddwy ddrama fyd-enwog — 'Y Cylch Sialc', Brecht a 'Y Gelli Geirios', Chekov. Dau gast mawr a dau gynhyrchiad llwyddiannus.

Ar ôl gweld y ddrama 'Leni' daeth sawl un ataf i ofyn pam nad oedd y ddrama'n ddigon da i ennill Tlws Drama yr Eisteddfod Genedlaethol. Yr oedd Dewi Wyn Williams wedi ei hanfon i gystadleuaeth y Tlws pan farnodd Bob Roberts, Wyn Bowen Harries a minnau nad oedd yr un ddrama'n deilwng. Dewi oedd y cyntaf i gyfaddef mai'r drafft brysiog cyntaf o'r ddrama (dan y teitl 'Berwi Wy') a anfonwyd i'r gystadleuaeth er mwyn iddi gyrraedd cyn y dyddiad cau. Yr oedd Bob a minnau o'r farn mai yn honno yr oedd y potensial ond bod angen llawer gormod o waith arni i'w hystyried yn fuddugol. Pan ddaeth Dewi ataf ar y maes wedyn a dweud mai fo oedd yr awdur a'i fod am fynd yn ôl i weithio arni fe wyddwn y byddai'r gwaith hwnnw'n cael ei wneud.

Yn wahanol i gystadleuaeth Awdl neu Bryddest neu Gasgliad o Gerddi, pryd y dylai'r gwaith fod yn orffenedig, fe ŵyr beirniad Drama mai esgyrn sychion 'cynhyrchiad' yw'r ddrama dan sylw ac y bydd gwaith arni eto cyn y gwêl olau dydd ar lwyfan. Penderfynu a ydi hi'n ddigon gorffenedig fel ag y mae neu, yn niffyg hynny, a ydi hi'n werth ei gorffen, ydi tasg y beirniad ym maes Drama. Mae'r arferiad erbyn hyn o gael cyfarwyddwr cwmni arbennig yn feirniad ar Dlws y Ddrama yn gallu bod yn llyffethair hefyd. Nid yw pob drama'n addas i bob cwmni ac fe all cyfarwyddwr fod yn chwilio am ddrama 'arbennig o addas' i'w gwmni ei hun. Pan geir dau neu dri beirniad y ceir trafferthion oherwydd fe all y cyfarwyddwr o feirniad, y bydd ei gwmni'n perfformio'r ddrama 'fuddugol', gael syniadau cwbl wahanol i'w ddau gyd-feirniad ynglŷn â'r hyn sy'n 'addas'. Dylid cael un beirniad yn unig, sef y cyfarwyddwr, fel y gall osod canllawiau cwbl bendant i'r cystadleuwyr.

Cefais foddhad aruthrol o berfformio 'Leni'. Mae effaith cancr wedi cyffwrdd â phob teulu ac yr oedd portreadu'r digrifwr a oedd yn marw o'r clefyd yn dipyn o brofiad i mi. Gyda Glyn Pensarn, tad Dewi, wedi marw ohono, a Dewi'n sgrifennu o'i brofiad, yr oedd yn fraint cael chwarae'r rhan hefyd.

Erbyn hyn dim ond yn achlysurol iawn y byddaf yn

gweithio ar y llwyfan. Yn wahanol i Maureen, mae'n well gen i fyd ffilm. Ond, serch hynny, mae gwefr i'w chael o fod yn 'fyw' o flaen cynulleidfa. Gobeithio y caf brofi'r wefr honno lawer gwaith eto.

Pleserau Bywyd!

Iwerddon yn yr haf, Parc Goodison yn y gaeaf, Ymryson a Thalwrn, Golff hefo Lynn, Graham ac Eric, Côr Meibion y Penrhyn, Seiat Carreg Brân, llyfrau Robert B. Parker ac Ed McBain. Dyna rai o bleserau bywyd!

Ers tua saith mlynedd bellach mae Maureen, Guto a minnau yn ei 'nelu hi am Iwerddon cyn gynted ag y bydd yr Eisteddfod ar ben. I Gonnemara yr awn, ac i'r un gwesty bob tro. Fedra i ddim dweud fy mod wedi teithio'r byd yn eang ond er hynny fedra i ddim meddwl bod unman tebyg i Iwerddon. Yn sicr does neb fel y Gwyddelod.

Er bod yn well gan rywun gael rhyw fymryn o haul nid hynny ydi'r flaenoriaeth yng Nghonnemara, cyn belled â'n bod ni'n gallu mynd ambell ddiwrnod i 'lan môr ni' i nofio rhyw fymryn a physgota llawer. Mae'r croeso'n hynod o gynnes. Daethom i 'nabod y teulu biau'r gwesty yn dda erbyn hyn ac mae'r pentrefwyr hwythau yn ein cyfarch fel hen gyfeillion. Yn ddi-ffael byddwn yn galw heibio Kevin Joyce yn ei siop mewn pentref cyfagos, ac os cafodd unrhyw Wyddel ddawn dweud erioed, Kevin ydi hwnnw. Eleni yr oedd yn llawn o hanes Dennis Healy yn ymweld â'r siop ac fel yr oedd wedi rhyfeddu at wybodaeth y gwleidydd o farddoniaeth Yeats. Bydd Kevin bob amser yn rhoi anrheg i Guto — darnau o farmor lliwgar y tro yma — a gallai ei dafod werthu'r siop gyfan i chi.

Mae meibion y gwesty, Seamus a Michael, yn sêr ar feysydd pêl-droed Gwyddelig ac eleni aeth Guto a minnau i weld Michael yn chwarae tros Sir Galway yn Rownd Gyn-derfynol y Gwpan. Yn anffodus, Sir Kerry a orfu neu fe fuasem wedi mynd draw i Ddulyn i weld y ffeinal. Yr oedd gêm o 'hurling' o'i blaen, a digwyddai rhai pethau yn y gêm honno a wnâi i amddiffyn Nantlle Vale ers talwm edrych fel angylion!

Edrychwn ymlaen am fisoedd at y gwyliau blynyddol yn Iwerddon ac mae pob un fel petai'n well na'r un blaenorol.

Biti na fedrwn ddweud yr un peth am fy ymweliadau â Pharc Goodison! Amrywio o'r gwych i'r gwachul y mae hi yn y fan honno ers tipyn bellach. Er sicrhau'r Gwpan rai blynyddoedd yn ôl (cafodd Guto a'i dad afael yn honno pan ffilmiwyd 'Portread') mae anwadalwch y tîm yn boenus ar brydiau. Bydd Rhys, Guto (Robin weithiau hefyd) a minnau'n mynd yno'n ffyddiog bob tro ond, yn aml, yn dychwelyd yn waglaw. Er hynny mae'n bleser mynd yno yr un fath, oherwydd nid ar 'Sgorio' yn unig y gwelir dawn y 'tramorwyr' bellach, ac mae Everton yn ennill weithiau! Ond bob dydd Sadwrn y 'tramorwyr' sy'n disgleirio. Yn ddiweddar gwelais y dyn bach o Frasil, Juninho, yn peri dryswch mawr i amddiffyn Everton. Buont yn chwilio amdano am awr a hanner, nid yn unig am ei fod mor fychan o gorffolaeth ond am ei fod hefyd lathenni'n gyflymach ei goesau a'i feddwl, yn enwedig yr olaf. Yr un peth oedd hi yn achos Gullitt a Curcic. Mae cefnogwyr Manchester United yn ffoli, fel minnau weithiau, ar ddoniau Cantona ond fedr o ddim cael lle yn nhîm Ffrainc! Byddai cefnwr ambell dîm tramor yn cael lle fel mewnwr/asgellwr mewn tîm Prydeinig.

Weithiau, gwelir lluniau o dimau Prydeinig yn ymarfer ac, yn aml iawn, does dim pêl yn agos, a minnau wedi meddwl erioed mai'r gallu i drin pêl oedd elfen bwysicaf y gêm. Yn enwedig pêl mor hawdd ei thrin â'r bêl fodern. Mae'n rhaid fod honno'n hawdd i'w thrin cyn y medrai cymaint o chwaraewyr cyffredin eu gallu wneud rhyfeddodau hefo hi! Ond Cymro ydi'r arwr acw: Neville Southall, achubwr Everton, a Chymru, ar sawl achlysur. Mae'n tynnu 'mlaen bellach ond hir y pery ei oes rhwng y pyst. Ei jersi o fydd Guto'n ei gwisgo i fynd i bob gêm.

A minnau wedi arafu tipyn go lew bellach mae'r bêl farddol yn llai o dreth ar fy ngwynt er bod fy sgiliau yn y maes yn brinnach. Er hynny, os oes rhywbeth wedi rhoi pleser i mi yn ystod y blynyddoedd diwethaf, cymryd rhan mewn Talyrnau ac Ymrysonau ydi hwnnw. Mae bod yn aelod o dîm Penrhosgarnedd yn brofiad. Y capten ydi Dafydd 'Eic' Morris Jones ac mae popeth a sgrifennwyd erioed, pob marc a enillwyd erioed gan y tîm ym meddiant Eic. Fe ddaw fel ysbryd y nos gyda'r tasgau a'u gwthio trwy'r blwch llythyrau, a diflannu i'r tywyllwch heb ganu'r gloch. Dim ond y fo a'r dyn Treth Incwm sy'n gwneud pethau felly. Mae o'n saff bendant o ddweud cyn pob gornest mai stwff trybeilig o sâl sydd gynnon ni y tro hwnnw — ar wahân i stwff John Gwilym Jones, wrth gwrs — ac ar ôl y gystadleuaeth yn saff bendant o ddweud stwff mor dda oedd gynnon ni. Os nad oedd Gerallt wedi gweld eu mawredd, wel, nid ein bai ni oedd hynny! Mae Eic wedi cael deg nifer o weithiau gan Gerallt am delyneg a phump gen i am ddreifio! Un o gymeriadau'r byd 'ma ydi Eic.

Dydi Morien Phillips mo'r dreifar gorau y bûm i hefo fo erioed chwaith ond gall sgrifennu cân ddigri gyda'r gorau pan na fydd o'n mopio hefo sonedau!

Y Parch. John Gwilym Jones, y Cyn-Archdderwydd. Mae John yn berson cwbl arbennig; urddas, hiwmor a doethineb wedi'u rowlio yn un. Ond mae o'n un drwg am wneud tân yn yr ardd pan fydd y gwynt yn chwythu o'r môr. Mae fflacs a darnau o hen *Western Mail* yn llond yr ardd acw ar ddiwrnodiau tân 'Llwyn Hudol'.

A Lynn, J. Lynn Davies, fy nghyfaill triw a'm tad barddol. Cardi hael, a'i hiwmor un llinell yn ein llorio yn aml. Golffiwr cyson hefyd, a rŵan gan ei fod wedi ymddeol o ddysgu, mae'n olffiwr aml, cyson. Tyst o'i boblogrwydd yn ysgol Y Felinheli ydi'r llu o bobl ifanc sydd, er eu bod wedi hen adael yr ysgol, yn ei gyfarch fel ffrind ymhobman. Nid am bob athro y gellir dweud hynny. Mae galw yn 13, Goleufryn bob amser yn bleser, yn enwedig os yw'n golygu pryd wedi'i goginio gan Mair. Y *cordon bleu* glasaf fu erioed.

Yn aml, byddaf yn teithio i'r Talyrnau hefo John ac yn dychwelyd, chwedl yntau, "da'r pechaduried'. Mae post mortem Eic ar y noson dros lasied yn werth ei gael!

Mae bri mawr ar Ymrysonau ledled y wlad erbyn hyn ac yn sefyll yn falch ar y dresel gartref mae Tlws Cynghrair y Beirdd, Clwb y Felin. Yn ddiweddar wrth sgwrsio cyn cael y tasgau cafwyd syniad da, sef darganfod rhywun sy'n nofio mewn arian i'n talu am wneud dim ond ymrysona. Dyna fyddai joban werth chweil; digon o amser yn ystod y dydd i fynd i chwarae golff hefo Lynn a gwella'r cynganeddu rhwng ergydion.

Mae dau arall yn ymuno hefo Lynn a minnau ar foreau

Sadwrn yng Nghlwb Golff Caernarfon, sef Eric 'Palace Cafe' a Graham. Dyn tân sydd bellach yn gwneud gwaith metel ydi Graham a fo ydi'r golffiwr yn ein mysg. Mae'r tynnu coes parhaus yn rhan o'r bore a does neb yn gwylltio rhyw lawer os ydi'r safon yn isel, er y clywir ambell air llai cymedrol na'i gilydd weithiau. Pan ddaw hi'n amser orenj-jiws wedyn prin iawn fydd y sôn am golff, a hynny sy'n braf. Mae chwarae'n dda yn bwysig ond nid mor ofnadwy o bwysig â hynny — medda fi wrth eistedd fan hyn!

Fel un sy'n hoff o gael ei gysuron mewn gwesty rhaid dweud ei bod bob amser yn bleser aros yn y 'Ferriers' yng Nghaerdydd. Erbyn hyn peth prin iawn ydi bod yno heb gyfarfod â chyd-Gymry o'r Gogledd. Mae gwesty teulu'r Lynch wedi bod fel ail gartref i mi ers blynyddoedd lawer. Y diweddar Brian, Joyce ei weddw, a'u mab Jeremy yn hynod groesawgar ac yn dygymod bob tro hefo'r gwestai yma sydd bob amser yn hwyr yn llogi ei 'stafell!

Un arall o'm hoff bleserau ydi bod yn un o Is-Lywyddion Anrhydeddus Côr Meibion y Penrhyn. Mae hi'n fraint, wrth reswm, ond cwmnïaeth yr hogia mewn cyngerdd a noson gymdeithasol ydi'r pleser pennaf.

Yn Awst 1993 y daeth penllanw'r pleser hwnnw, sef taith bythefnos yn yr Unol Daleithiau. Yn wir, mae'r daith honno yn haeddu llyfr ynddi'i hun!

Dathlu canmlwyddiant y côr a aeth i Chicago yn 1893 oedd yr achlysur, a fedrai yr un ohonom weld y diwrnod cychwyn yn dod yn ddigon buan. Er fy mod i'n gwybod y caneuon bron i gyd erbyn hyn nid i ganu yr es i yno ond i arwain y cyngherddau. Ond cefais ganu yn y cyngherddau answyddogol, a bu llawer o'r rheiny.

Wedi glanio yn Chicago yr oedd taith arall yn syth o'n blaenau i Boston ond, yn anffodus, yr oedd ein hawyren ni'n hwyr yn dod o Toronto ac felly aeth criw bach ohonom am lymaid i far cyfagos. Dechreuodd y canu ymhen ychydig ac o'i glywed heidiodd y gweddill o'r criw i mewn. Ymhen ychydig yr oedd yn gyngerdd a degau o bobl wedi gadael eu cesys yn y coridor y tu allan ac wedi dod i wrando. Fe aeth y daith fel ruban o'r prynhawn hwnnw ymlaen.

Pentref o'r enw Poultney yn Vermont oedd yr arhosiad cyntaf. Wedi cyrraedd yno a chael barbeciw a llond gwlad o fwyd, cafodd yr arweinydd, Alun Llwyd, a minnau ein tywys gan ddyn o'r enw Ralph Bruso i'w gartref lle byddem yn aros. Gŵr gweddw, o Ganada yn wreiddiol, oedd Ralph ond Cymraes wedi'i geni yn Poultney oedd ei ddiweddar wraig. Gan ei ferch, Janice, y cefais y cefndir, a bu bron i mi ddisgyn o'm cadair ar y feranda pan ddywedodd o ble roedd ei nain a'i thaid yn dod — ei thaid o Ddeiniolen a'i nain o Gwm-y-glo. Erbyn holi fe wyddai Maureen hanes ei nain, 'Mrs Jones America' i bobl Cwm.

Y fi fyddai'n cael y gawod i weithio i Alun ymhob man, a gwneud trefn o'r 'Venetian Blinds' a gweithio fel ei 'valet' unwaith neu ddwy! Fe'm rhoddodd mewn lle cas hefo Warren a Nancy, y cwpwl a roddai lety inni yn Rye, ger Efrog Newydd. Yr oedd popeth, y canu, yr arweinydd a'r cyflwynydd, yn 'WOW' i Warren. Cafodd y ddau ddod i barti hefo ni ar ôl cyngerdd un noson a Warren yn dreifio'n ôl yn y car to-agored fel petai o ar lôn gynffon mochyn. Cyrraedd y tŷ, a'r lleuad fel oren yn yr awyr. *'Alun and John, look at that moon!'* meddai Warren yn Wordsworthaidd iawn ac, o bob dim dyma Alun yn dweud 'WOW'. Bu bron i mi ddisgyn o'r car. Aeth y tri ohonom i nofio wedyn mewn pwll awyr agored yng ngolau'r lleuad, a'r tymheredd yn 85 gradd.

Rheol bendant i bawb oedd peidio â chyffwrdd alcohol ar ddiwrnod cyngerdd; rheol nas torrwyd gan neb. Wel, cafwyd caniatâd ar y trip cwch o amgylch Ynys Manhattan, oherwydd y gwres, i gael *un* bach! Wrth i'r cwch ddod i'r lan yng ngwaelod 'Forty Second Street' gofynnodd y capten i'r côr am gân ac fe ganwyd y 'Star-Spangled Banner' a 'Hen Wlad Fy Nhadau', fel y gwnaem ar ddiwedd pob cyngerdd. A dyna beth oedd cymeradwyaeth. Ychydig iawn o Americanwyr oedd wedi clywed côr meibion yn canu eu hanthem erioed ac yr oedd yn drawiadol, a dweud y lleiaf.

Yr oedd hen fwynhau ar ôl cyngerdd fel y noson honno yn Connecticut, mewn Clwb Rastafarian! Aeth criw ohonom draw a chael croeso rhyfeddol yn enwedig pan ddechreuodd Ber a Karl ganu hefo'r Carioci. Leah Owen oedd ein cantores wadd ar y daith ac yr oedd y bobl leol wedi mopio hefo'i llais hi. Yn wir, yn ôl yr ymateb iddi ymhobman, gallai Leah wneud ei ffortiwn yn America. Buom yn y clwb am oriau ac ar y ffordd yn ôl i'r hostel lle'r arhosem, a hithau erbyn hyn wedi gwawrio'n hyfryd, fe gofiwyd nad oeddem wedi cael clywed am drowsus bach Nain Rhys Llwyd (yr oedd banana enwog Êls a 'Delilah' Vic Bangor wedi cael rendring) a dyna ofyn am hynt a helynt y trowsus bach enwog, os drewllyd, hwnnw, yn y fan a'r lle. Yr oedd dyn a oedd wedi codi'n gynnar yn mynd â'i gi am dro ac arhosodd i wrando ar y stori unigryw. Mwynhaodd hi'n fawr a daeth o a'r ci yn ôl hefo ni i gael brecwast.

Yr oedd y croeso yn frwd ble bynnag yr aem ond uchafbwynt y pythefnos ar lawer ystyr oedd y daith yn y trên o Efrog Newydd i Chicago a'r dyddiau a dreuliwyd yn y ddinas honno. Cymerai'r daith chwe awr ar hugain ond fe aeth heibio fel y gwynt. Er i un neu ddau ddweud na ddylid cysgu ar daith mor hanesyddol fe gafodd pawb ryw awr neu ddwy yn y diwedd. Am hanner nos yn ystod y daith yr oedd Augusta, gwraig Ronnie (Hogia Llandegai), yn dathlu ei phen-blwydd. Yr oedd Ronnie wedi prynu wats aur yn anrheg iddi ac fe gyflwynodd yr anrheg tra canai'r côr benillion arbennig a gynfansoddwyd ar gyfer yr achlysur.

Cafwyd stop answyddogol yn Toledo am fod rhywun, neu rywrai, am y tro cyntaf yn hanes y rheilffordd mae'n debyg, wedi yfed pob diferyn o'r 'dŵr bywiol' yn ffynnon y trên!

A dyna gyrraedd Chicago, dinas y mopiais i fy mhen arni. Arhosem mewn gwesty o'r enw 'Blackstone', hoff westy Al Capone mae'n debyg a'r 'decor' wedi'i gadw yn union fel ag yr oedd yng nghyfnod y bonwr hynaws hwnnw. Yn wir, yn ystod ein harhosiad, yr oeddynt yn ffilmio cyfres newydd o'r 'Untouchables' a'r criw ffilmio wedi meddiannu un llawr cyfan yn y gwesty i'r perwyl hwnnw. Yr oedd yr actor o dras Gymreig, John Rhys Davies, yn eu mysg. Yr hyn a wnaeth argraff ddofn arnaf oedd gweld rhes hir o garafannau ar hyd Michigan Avenue: carafán yr un i bob actor! Ar gyfres deledu! Neis iawn.

Daeth si i'r gwesty un noson fod Elizabeth Taylor yn aros yn y 'Chicago Hilton' drws nesaf i ni. Doedd byw na marw na châi rhai o 'ffilm buffs' y côr fynd draw i'w

gweld. O fethu â chael y fraint fawr honno gallent o leiaf
alw yn yr 'Irish Bar' yn yr un adeilad. Twm Bach oedd
y lladmerydd ac aeth at y ddesg i holi am yr arwres. Y
tu ôl i'r ddesg yr oedd dyn croenddu anferth, a dyma'r
ddeialog a fu:

    'Can I help you, sir?'
    'Yes please. A friend of mine is staying here.'
    'Your friend's name, sir?'
    'Elizabeth Taylor.'
    'I see, sir. And who may I say called, sir?'
    'Twm.'
    'Yeah, she's talked a lot about you, Tym.'

Efallai nad ydi'r stori yna'n wir ond yr oeddwn i yno!

Yr oeddwn i hefyd ym mhreifatrwydd y toiled pan
ffilmiwyd fi, heb fy nghaniatâd, a heb drafod ffi, gan ddau
hen gachwr. Mae gofyn dweud wrth actor ymlaen llaw
fod dau gamera yn cael eu defnyddio mewn golygfa er
mwyn iddo wybod pa foch i'w throi. Efallai ei fod wedi
gweld yr un a wthiwyd o dan y drws ac wedi taflu ei gôt
drosto ond heb weld y llall a edrychai dros ben y drws.
Peth ofnadwy i ddyn sy'n moeli ydi camera yn edrych
i lawr arno!

Taith fythgofiadwy oedd taith Chicago. Mwynheais
bob cyngerdd yn ddiwahân a gallaf dystio i'r hogia ganu
fel angylion, yn enwedig yn yr eglwys yn Chicago! Dwi
ddim wedi clywed angylion yn canu ond dwi'n siŵr mai
cyn-aelodau o Gôr Meibion y Penrhyn ydi'r 'Nefol Gôr',
a rhai Caernarfon a'r Traeth yn gantorion wrth gefn!

Erys y lluniau a'r digwyddiadau yn y cof. Dyna ichi'r
cymeriad rhyfedd hwnnw o'r enw Harvey y gwnaeth
Dafydd Jones Morris a minnau ei gyfarfod ac a fynnai

ei fod yn bencampwr y byd am daro'i ben yn erbyn wal ac wedyn yn ein gorfodi i ganu; y stecan honno na fedrai hyd yn oed Alwyn Parry mo'i gorffen; llinellau bachog hiwmor Derek TV; gwisg 'draddodiadol Gymreig' Eurwen Llewelyn Jones; y ferch o Puerto Rico a wasanaethai yn y Blackstone; y picnic wrth yr hen felin a phethau mawr yn dod i'r golwg; y pryd bwyd a gafodd criw bach ohonom yn y bwyty ar frig yr adeilad uchaf yn y byd, Twr Seer yn Chicago, a'r olygfa odidog o'r ddinas ac o Lyn Michigan; harddwch Eglwys St. James, Chicago; Siôn Pyrs, a Twm wrth ei ochr, yn cysgu o flaen yr Amgueddfa yn 'Wales'; Eddie Lewis yn gwario cymaint â saith dolar yn siop fwya'r byd; Walt a Menai yn eistedd yn ddel hefo'i gilydd ar y cwch, Dafydd Ifans ac Ann yr un mor ddel wrth eu hochr, Derfel a Menna bron cyn ddeled hefyd; Paul yn gwerthu tapiau a CD's; Ian Ffrydlas, Arwel, Idwal, Dewi, Ieuan, Maldwyn a phawb arall yn . . . Rhag imi golli mwy o ffrindiau, gwell tewi.

Yn ôl yng Nghymru, y mae arwyr ac Arwyr. Arwr mawr Seiat William ap Tomos ap Hywel, sy'n cyfarfod bob nos Wener yng Ngwesty Carreg Brân ydi'r gŵr a roddodd ei enw i'r Seiat. Cymeriad o Fôn, yn anffodus, a fu farw yn 106 mlwydd oed. Bu'n briod deirgwaith ac yn dad i 49 o blant. Pan fu farw yr oedd yr hynaf ohonynt yn 87 a'r ieuengaf yn ddyflwydd a hanner! Y fo a ddylai fod yn Nawddsant Cymru.

Criw brith ydi criw Carreg Brân; cymysgedd o athrawon (rhai ohonynt wedi ymddeol a sawl un a ddylai fod wedi gwneud hynny ers blynyddoedd, er lles y plant ac er lles pynciau trafod y Seiat) ambell gyfryngi, ffermwr, gweithiwr iechyd a dyn gwerthu teiars!

Ein cadeirydd am flynyddoedd oedd y diweddar Aled Roberts o'r Felinheli. Gŵr hynaws, llawn hiwmor, a thynnwr coes crefftus oedd Aled ac y mae bwlch mawr ar ei ôl. Byddai'n tynnu coes Richard, y perchennog, yn ddidrugaredd. Collwyd Richard hefyd yn ddiweddar ac yntau'n ddyn pur ifanc.

Does dim cworwm bob nos Wener wrth reswm ond waeth faint ydi'r nifer mae'r sgwrs yn hynod o felys, yn enwedig pan lwyddir i osgoi siarad am Yr Urdd a'r Byd Addysg. Gall hynny fod yn anodd waeth faint y bydd Alwyn Pleming, y cadeirydd presennol, yn ei fytheirio! Anodd iawn, yn enwedig pan fydd Derec Teiars yn gwthio'r Teitanic i'r dŵr.

Uchafbwynt ein blwyddyn yw Cinio Blynyddol y Seiat. Mae'r gwragedd yn cael dod i hwnnw! Na phrotestiwch, ferched, oherwydd petaech chi'n briod ag unrhyw un o'r aelodau byddech chwithau'n falch o gael gwared â fo ar nos Wener. Cynhelir ar y noson honno Gystadleuaeth Fawr Gorffen Limrig a'm braint i ydi gosod y dasg a beirniadu. I'r enillydd y mae Tlws arbennig iawn, Tlws/Twls Coffa William ap Tomos ap Hywel, o waith dwylo artistig Mr Derec Owen, 'Tyre Seller and Photographer'. Treuliodd oriau yn chwilota ar draethau Môn er mwyn cael y 'cerrig' iawn i wneud y campwaith. Wrth gwrs, nid pawb sydd am ei ennill. Rhywsut, er ei fawredd, nid yw'n addas i'w hongian rhwng y Kyffin a'r Canaletto.

Dringo Ymlaen

Helena Kaut-Howson, a oedd ar y pryd yn Gyfarwyddwr Artistig Theatr Clwyd a gafodd y syniad o wneud cynhyrchiad newydd o'r 'Tŵr' yn 1995. Daeth Maureen a minnau yn dipyn o ffrindiau hefo Helena yn ystod ei chyfnod yng Nghlwyd a byddai'r tri ohonom yn cyfarfod dros ginio bob hyn a hyn. Oherwydd ei bod yn awyddus iawn i wneud gweithiau Cymreig, y ni a awgrymodd iddi wneud y cynhyrchiad Saesneg 'Full Moon' o nofel Caradog Prichard. Cafodd fenthyg fy nghopi o gyfieithiad Menna Gallie ac ar ôl ei ddarllen ar un eisteddiad fe aeth ymlaen i wneud y cynhyrchiad.

Pwyles yw Helena a chanddi brofiad o gynhyrchu mewn nifer o wahanol ieithoedd, a chan ei bod yn Ewropeaidd iawn ei natur a'i hagwedd yr oedd yn gweld cyfle yng Nghlwyd i gyflwyno gweithiau Cymreig i'r byd (rhywbeth go newydd yn hanes y Theatr honno) ond chafodd hi ddim aros yno yn hir iawn i wireddu llawer o'i syniadau.

Yr oedd rhywun wedi rhoi benthyg tâp o'r cynhyrchiad teledu o'r 'Tŵr' iddi ac er mai prin ddau air o Gymraeg oedd hi'n ddeall roedd yr hyn a welodd yn ddigon iddi ddweud, *'It's a poem. It's a poem. I want to do it.'*

Ei bwriad oedd gwneud cynhyrchiad Saesneg o'r ddrama i'w pherfformio yng Nghlwyd cyn mynd â hi ymlaen i theatr yr 'Young Vic' yn Llundain.

Yr oeddwn i yn frwdfrydig iawn o blaid y syniad ond

yr oedd Maureen yn bur amheus. Cymaint oedd y wefr a gafodd yn 1978 fel ei bod yn ofni y byddai ei pherfformio eto yn tynnu oddi wrth hynny ac yn distrywio'r holl atgofion. Ond yr oedd Helena yn bendant nad oedd unrhyw rwystr inni. 'Cerdd' oedd y ddrama. Ar ôl perswâd y ddau ohonom cytunodd Maureen i fwrw ymlaen.

Yn anffodus fe gollodd Helena ei swydd cyn inni gael cychwyn ar y gwaith ac er bod ar Theatr Clwyd awydd mynd ymlaen hefo'r cynhyrchiad gyda chyfarwyddwr arall gwrthod a wnaethom. Fodd bynnag, yr oedd Graham Laker a Theatr Gwynedd yn awyddus i'w gwneud a bu Graham draw yn trafod syniadau hefo Helena. Dechreuwyd ymarfer ym Mangor yn Hydref 1995.

Yr oedd y ddrama ar faes llafur Lefel-A Cymraeg ac yr oedd hynny yn un rheswm da dros ei llwyfannu eto. Yn aml, mae gweld drama yn fwy gwerthfawr nag ugain darlith arni. Ond a fyddai'r bobl ifanc yn ein derbyn? Dau yn eu canol oed? Yr oedd y cwestiwn yn dal yng nghefn y meddwl o hyd.

Ond fe gawsom hwb ymlaen. Ers rhai blynyddoedd bu Maureen a minnau'n ymweld â Nant Gwrtheyrn bob mis Medi i drafod/perfformio dramâu/nofelau ar y maes llafur hefo criw o bobl ifanc sy'n dod i fyny yno am wythnos o ardal Caerdydd. Byddwn wrth ein bodd yn mynd atynt bob blwyddyn. Eu hymateb gwerthfawrogol nhw i berfformio rhannau o'r 'Tŵr' — heb na set na cholur na phrops — ychydig wythnosau cyn inni ddechrau ymarfer a roddodd yr hwb hyderus hwnnw inni. Fe wyddem wedyn fod y peth yn bosib'. Penderfynwyd ei pherfformio heb egwyl, heb brops a heb golur. Y corff yn unig fyddai'n cyfleu'r newid oedran. A thorri rhyw ugain munud o'r sgript, y darnau lle y cyfeirid at y props gan fwyaf. Gadael i'r 'ddrama' ddweud popeth. Cwta bythefnos a hanner oedd gennym i ymarfer ond daeth y geiriau yn ôl i'r cof yn rhyfeddol, hyd yn oed y rhai a dorrwyd o'r fersiwn wreiddiol!

Fe aeth y cyfnod ymarfer yn sydyn iawn. Yr oedd hi'n anodd ar brydiau gwneud heb unrhyw fath o brop, heb help fel petai, ond yr oedd Graham Laker yn sicr o'i gyfarwyddyd ac wedi gweld y 'through line' chwedl yntau. Dan ei law o yr oedd yn gynhyrchiad newydd. Set wahanol iawn oedd gennym y tro hwn. Cafodd Rhian Cemlyn syniad gwreiddiol iawn o adeiladu 'melin wynt' a fyddai'n troi yn llythrennol rhwng pob cyfnod a phob act o'r ddrama wreiddiol.

Cawsom ymateb y tu hwnt i'n disgwyliadau. Fe ddywedodd nifer fawr o'r rhai a welodd y ddau gynhyrchiad iddynt gael mwy o werth y 'ddrama' ei hun y tro hwn. Er eu bod yn dal i gofio'r wefr o'i gweld y tro cyntaf, bellach, a hwythau'n hŷn fel ninnau, gwelent fwy o arwyddocâd i'r cyfan. Fel y dywedodd un ohonynt, 'Gwenlyn heb y "frills".' Ond yr ymateb a'n plesiodd fwyaf oedd un y bobl ifanc, dros dair mil ohonynt. Gwnaethom berfformiadau bore a phrynhawn yn arbennig i ysgolion ac yr oedd gwrandawiad a gwerthfawrogiad y bobl ifanc yn arbennig. Dyna ydi mawredd y ddrama: waeth ar ba ris o'r 'Tŵr' y byddwch pan welwch hi y mae'n bosib' gwerthfawrogi'r daith hyd at y ris honno a hefyd gwerthfawrogi'r daith i fyny'r grisiau sydd o'ch blaen. 'Nyrs' a 'thrydanwr' yw'r ddau sydd ar y llwyfan gan Gwenlyn ond 'pobun' ydyn nhw mewn gwirionedd.

Nid yn aml y mae actorion yn cael y fraint o berfformio yr un ddrama, a chwarae yr un rhannau, ddeunaw mlynedd ar ôl gwneud hynny'n wreiddiol, ond fe gawson ni. A chael gwefr yr ail dro. Gwefr wahanol, gyda deunaw mlynedd o brofiad ychwanegol o fywyd yn gefn, ac wedi pasio'r hanner-ffordd i fyny grisiau'r Tŵr erbyn hyn.

Ond y mae un peth yn sicr. Fyddwn i ddim yn ei mentro hi eto ymhen deunaw mlynedd arall!

Er, peth peryglus iawn yw dweud peth felly. Petai rhywun wedi dweud yn 1978 y byddem yn perfformio'r 'Tŵr' eto yn 1995 byddem wedi dweud 'byth bythoedd'.

Petai rhywun wedi dweud wrthym yn 1966 y byddem yn 1996 yn cael ein derbyn yn Gymrodorion Anrhydeddus ein Prifysol ym Mangor go brin y byddem wedi coelio. Yr oedd derbyn yr anrhydedd, 'yr anrhydedd fwyaf y gall coleg ei rhoi', mewn seremoni ym mis Gorffennaf eleni yn brofiad pleserus tu hwnt ac yn rhywbeth a drysorwn am byth. Beth bynnag a ddigwydd yn y dyfodol y mae hynny'n rhywbeth y gallwn edrych yn ôl arno gyda balchder.

A phwy a ŵyr beth fydd dyfodol y gwaith? Rhaid cymryd hynny, fel ag erioed, fel y daw hi.

Mae un rhaglen wedi'i chwblhau ond heb eto weld y sgrîn fel dwi'n sgrifennu hyn o eiriau. 'Gair o Brofiad' (Ffilmiau Elidir). Ynddi caf y fraint o bortreadu R. Williams Parry. Maureen a luniodd y sgript — ei sgript gyntaf — yn gyfan gwbl o eiriau Williams Parry ei hun a'r geiriau a ddywedwyd amdano. Rydym ein dau yn falch iawn ohoni. Gerallt Lloyd Owen a ddywedodd amdanaf yn Ffeinal y Talwrn:

> *Peth digri iawn yw berfa*
> *Sydd isio bod yn dractor;*
> *Peth trist yw isio bod yn fardd*
> *A chitha ddim ond actor!*

Ond gall actor weithiau 'fod' yn 'fardd' wrth gymryd arno bod yn un. Dyna'i waith o. Dyna'r un fantais fawr o'r swydd ryfedd yma.

Mantais arall yw bod Maureen a minnau'n cael gwahoddiadau lu i ymweld â chymdeithasau ledled Cymru i gyflwyno noson ysgafn neu lythyrau 'Kate a Saunders' neu 'Un Nos Ola Leuad'. Cawn oriau o bleser gyda'r ymweliadau yma a byddwn yn edrych ymlaen at bob un. Mae'n siŵr ein bod wedi gwneud rhai cannoedd erbyn hyn. Ac mae eisoes rai wedi'u trefnu ar gyfer 1997.

Mae dau beth sy'n arwyddion sicr bod rhywun yn heneiddio. Cael gwahoddiad i sgrifennu hunangofiant ydi un ac, fel y dywedais eisoes, cofio'r Eisteddfod Genedlaethol yn yr un lle ddwywaith ydi'r llall. Mae'r ddau beth wedi dod yn wir yn fy achos i.

Bala 1967. Bala 1997. Byddaf wedi ymddeol gobeithio pan ddaw tro'r Bala eto yn 2027. Ond maen nhw'n dweud nad ydi actorion byth yn ymddeol dim ond mynd yn arafach i gymryd eu 'cue'! Nid yn marw chwaith ond yn colli'r 'cue' yn gyfan gwbl.

Dwi wedi edrych yn ôl lawer iawn yn ystod y misoedd diwethaf yma. Edrych yn ôl tros fywyd cynnar a thros yrfa. Gyrfa mewn diwydiant sydd yn llawn o 'yfory'. Y 'rhywle draw dros yr enfys' ydi hi i actorion o hyd. Mae'r ddrama orau, y rhan orau, rownd rhyw dro ac yn aros amdanoch.

Ond os na ddaw hynny mae geiriau Derwyn Jones yn ddigon:

> A ŵyr gyflymdra'r oriau — a ŵyr werth
> Parhad y munudau;
> Fe ŵyr hwn hefyd fawrhau
> Y goludog eiliadau.